UMBANDA PARA INICIANTES

Umbanda para iniciantes

2ª edição: Outubro 2024

Autor:
Rodrigo Queiroz

Copidesque:
Júlia Pereira

Preparação:
Marina Montrezol

Revisão:
Daniela Georgeto
Patrícia Alves Santana

Projeto gráfico:
Jéssica Wendy | Nícia Monteiro

Capa:
Nícia Monteiro

Arte-finalização de capa:
Dimitry Uziel

Impressão
Plena Print

DADOS INTERNACIONAIS DE CATALOGAÇÃO NA PUBLICAÇÃO (CIP)

Queiroz, Rodrigo.
Umbanda para iniciantes : um tour pelo terreiro / Rodrigo Queiroz. — Porto Alegre : Citadel, 2023.
176 p.

ISBN: 978-65-5047-247-4

1. Umbanda 2. Religiões africanas – Brasil 3. África - Cultura I. Título

22-4254 CDD 299

Angélica Ilacqua - Bibliotecária - CRB-8/7057

Produção editorial e distribuição:

contato@citadel.com.br
www.citadel.com.br

RODRIGO QUEIROZ

UMBANDA PARA INICIANTES

Um tour pelo terreiro

2023

Dedico a todos que tendo olhos, enxergam...

Tendo pés, caminham...

Tendo coração, sentem!

SUMÁRIO

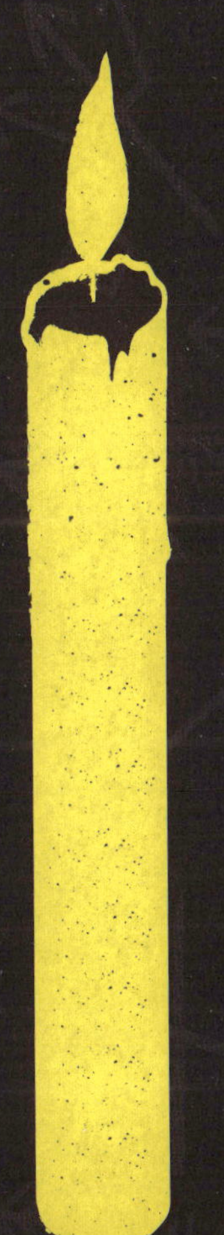

PREPARE-SE PARA ENTENDER TUDO O QUE VOCÊ VÊ AO ENTRAR EM UMA GIRA DE UMBANDA

UMBANDA PARA INICIANTES

RODRIGO QUEIROZ

BEM-VINDO(A) À NOSSA GIRA!

SARAVÁ, Axé, leitor(a)!

Estamos começando o primeiro livro da nossa Coleção Umbandalogia. Ele marca as minhas boas-vindas àqueles que acabam de chegar à Umbanda e também um convite inédito aos que aqui estão. Nosso livro parte da base de conteúdo do meu estudo on-line "Umbanda para Iniciantes" e nasce em resposta aos meus queridos alunos, que pediam sempre por um estudo mais simples, objetivo e que trouxesse soluções para dúvidas primárias. Estas "pequenas" dúvidas se tornam gigantes abismos entre o religioso e a prática da Umbanda, quando tratadas como irrelevantes.

E é nessa vontade de esclarecer e reviver meus primeiros passos descalços no chão de terreiro que escrevi e roteirizei *Umbanda para Iniciantes* em 2016. Agora, em 2023, ele se torna a porta de entrada para você, leitor(a), ao nosso universo prático, teórico e filosófico da religião. Vou levá-lo a uma experiência sensorial de memórias afetivas e de acolhimento, utilizando pela primeira vez na Umbanda a tecnologia de realidade aumentada em livros.

Toda vez que falamos ou escrevemos sobre Umbanda, fazemos um ato sagrado. Falar sobre Umbanda é uma oração, escrever sobre ela é uma forma de reverência e dedicação. Toda vez que paro para esse ofício, vivo em mim o sentido existencial de toda a minha espiritualidade e ancestralidade. Por isso, preparei algo que pudesse fazer você, desse outro lado, onde quer que esteja, viver a Umbanda de maneira visceral, com amor e certeza desse caminho, e sabendo que estudar suas formas de se manifestar é também estar mais próximo de Deus.

Prepare-se para entender tudo o que você vê ao entrar em uma gira de Umbanda. Ao adentrar o terreiro, quais são as primeiras visões? A que elas remetem? Quem é o consulente? Quem é o médium de corrente? Por que batemos três palmas ritmadas? Por que se vira de costas para saudar Exu? Por que ficamos descalços? O que é a cortina que cobre as imagens em alguns terreiros? Quem são os Orixás? O que são Entidades e qual o propósito da sua manifestação?

Há inúmeras, diversas e incontáveis dúvidas quanto à religião legitimamente brasileira. Desde o toque do atabaque, o cheiro de ervas, o canto e a vibração até a energia pulsante e a mística que passeia entre o sagrado e o profano e nos brinda com suas infinitas formas de ser, buscando aproximar-se da mais simples e complexa de todas: a forma humana.

Desejo que você tenha uma grande vivência e experiência e, acima de tudo, descubra a Umbanda com todo o seu esplendor e a sua luz. Com toda a sua graça e beleza!

Iniciamos, aqui, nossa jornada entre matéria e espiritualidade, manifestada nos terreiros de Umbanda.

"NÃO ACREDITO
EM UM DEUS QUE NÃO DANCE."

– FRIEDRICH NIETZSCHE

CHEGADA AO TERREIRO DE UMBANDA

TALVEZ você já seja assíduo das giras[1] ou, quem sabe, já as tenha visitado algumas vezes, mas pode ser que nunca tenha pisado no chão de um terreiro. Independentemente de qual seja o seu caso, **vou lhe contar em detalhes o que acontece na primeira vez que entramos no solo sagrado da Umbanda**. Muitas motivações levam uma pessoa a visitar o terreiro e decidir descobrir um universo totalmente diferente de outras religiões convencionais. A menos que você seja umbandista desde criança, sua chegada a esse ambiente pode ter se dado por meio de um convite, intuição ou até mesmo curiosidade ao passar em frente a um centro. Essa decisão também pode ter

---

1. Giras: nome dado ao culto ritualístico da Umbanda. É quando os adeptos se reúnem para comungar sua fé.

sido motivada pela esperança de uma cura emocional ou física, e há, inclusive, quem busque preencher um vazio existencial. Enfim, é tomada a decisão de se preparar para uma gira de Umbanda. A ansiedade de algo desconhecido no seu dia a dia permeia seus pensamentos. As horas passam e, em algum momento, surge a dúvida que o questiona se esse é um ambiente realmente seguro. Mas existe um motivo maior dentro de você: perguntas que precisam de respostas. Sua imaginação começa a tentar decifrar esse desconhecido e vêm à sua mente referências de religiosidade. Será que esse ambiente físico é como uma igreja?

O dia se passa e logo chega o horário de ir à gira. Tudo é muito novo e inédito aos olhos do iniciante. Se você já passou por isso, traga agora à sua mente a memória desse dia. Consegue se lembrar de qual roupa vestia? Com quem foi? Quais eram seus medos? Depois dessa memória, vamos continuar nosso trajeto. Chegamos ao terreiro, que normalmente acontece em uma casa simples com uma pequena entrada e é possível que você veja uma fila de pessoas para entrar. Finalmente estamos na porta. Ao entrar, todo mundo toca o chão e faz uma cruz —

mais adiante, explico o significado desse rito. Logo após, as pessoas viram-se para a esquerda, ali onde fica uma casinha, um quartinho separado do restante do terreiro. Nele, é possível observar velas vermelhas, pretas, símbolos estranhos, como tridentes, correntes, facas, caveiras e muitas espadas-de-são-jorge. Ao chegar à Umbanda, somos recepcionados pelo guardião da casa. Você está diante da Tronqueira, também chamada de casinha de Exu. As pessoas ajoelham-se, entrelaçam os dedos e viram as palmas das mãos para o chão. Em um movimento circular, pronunciam algumas palavras: *Laroyê Exu, Exu é Mojubá!*[2]

APONTE A CÂMERA DO CELULAR PARA ESTE QR CODE E VISITE COM EXCLUSIVIDADE A TRONQUEIRA DO INSTITUTO CULTURAL ARUANDA

https://umbandaead.com.br/livro/umbanda-para-iniciante/tronqueira/

2. Saudação a Exu, proveniente da língua iorubá. Laroyê pode ser traduzido como "salve o mensageiro", e Mojubá é uma expressão que diz "eu o respeito e o estimo".

Nosso imaginário coletivo logo nos traz à mente o que aquele conjunto de símbolos significa em nossa sociedade: o "capiroto"! E imaginamos a figura do demônio com tridente na mão e vestido de cores que remetem à ideia de inferno que temos. Quando lhe contam que ali é onde oferendamos Tranca Ruas, Mulambo, Caveira, você logo pensa: "onde foi que me enfiei?". Risos. É compreensível, considerando a grande propaganda negativa que se faz dessa Entidades.

QUEM É EXU E O QUE É UMA TRONQUEIRA?

A Tronqueira é onde assentamos, ou seja, mantemos pulsante uma energia e/ou axé para reverência e sustento da força Exu, tanto em seu aspecto Orixá quanto em sua Entidade humana. Exu Entidade, para a Umbanda, é um agente da lei e da ordem. Ele é a proteção e o guia dentro de um terreiro. Está logo na entrada, para que seja, ali, sentinela, protetor, aquele que guarda a entrada e bloqueia qualquer tipo de invasão trevosa. Por isso, às vezes, essa "casinha de Exu" se parece um pouco com uma guarita em alguns terreiros. Exu são os olhos da segurança

EXU SÃO OS OLHOS DA SEGURANÇA ESPIRITUAL DO TEMPLO DE UMBANDA

UMBANDA PARA INICIANTES

RODRIGO QUEIROZ

espiritual do templo de Umbanda. Os objetos que vemos são ferramentas que trazem a energia desse guardião e que estão assentadas, fixadas, nesse ambiente propício. Isso quer dizer que tudo o que existe ali passou por um ritual que envolve magia de terreiro — vou conceituar isso mais adiante —, e então suas energias foram concentradas e ativadas nesse ambiente. O axé de Exu está fixado e permanece irradiando a todo momento na Tronqueira. Se você puder entrar em alguma um dia, é possível que sinta isto em seu corpo: tontura, formigamento, pernas bambas e temperatura corporal acima do normal. São percepções mediúnicas comuns ao entrar na Casa de Exu. Isso acontece porque essa é uma energia densa, forte, de descarrego e proteção, diferente daquilo a que nosso corpo espiritual é acostumado. Esse choque de energia, então, pode causar esse "mal-estar" momentâneo.

O assentamento, portanto, é uma força espiritual plantada e enraizada que sustenta a estrutura vibratória do terreiro como a raiz sustenta uma árvore. É nele que estão concentradas as energias que se expandem e sustentam as atividades espirituais. A estrutura da Tronqueira, além da defesa, é importante para absorver o negativo e ajudar a lidar com as sombras. A palavra Tronqueira vem de tronco. Historicamente, faz referência aos pedaços de madeira que ficavam na entrada das casas e comércios, para que se pudesse amarrar cavalos, que eram os meios de locomoção da época. Entende-se que esse tronco é onde se amarra algo que traz segurança, e, nesse processo etimológico, surge a palavra tronqueira. Existem alguns teóricos que fundamentam a Tronqueira como um local "mais forte que casa de Exu". Isso tudo não é verdade. Dizem que a estrutura física é diferente, mas, na prática, isso não acontece. Tronqueira, Casa de Exu, Casinha, assentamento de Exu são o mesmo ambiente. Referem-se à mesma estrutura. O que realmente importa é que ali dentro exista um altar próprio para Exu e que seja consagrado e firmado à segurança. Isso é o que importa!

QUATRO GESTOS DE SAUDAÇÃO A EXU

Gesto 1 – Cruzar as mãos com as palmas voltadas para o chão e fazer movimentos circulares em sentido anti-horário

Esse é o gesto mais comum, e seu significado está atrelado à energia de Exu. Exu é uma divindade telúrica, ou seja, sua energia está na terra. É como se a sua energia, axé e vibração brotassem do chão, da terra. Ao fazer esse movimento, colocamos a abertura das mãos, e, por sua vez, dos chakras, terminações nervosas e energéticas que existem ali, voltada para a terra. Absorvemos essa energia nesse momento. Damos outorga para que o axé de Exu esteja em nosso corpo espiritual. Saudamos aquele que vem da terra. Por isso, espalmar as mãos para o chão nesse ato, que parece tão simples, aciona inúmeras entradas de energia vital de Exu em seu campo energético.

APONTE A CÂMERA DO CELULAR
PARA ESTE QR CODE E VEJA COMO
FAZEMOS ESSA SAUDAÇÃO

https://umbandaead.com.br/livro/umbanda-para-iniciante/saudacao-exu-gesto-01/

Gesto 2 – Bater três vezes as costas das mãos no chão

Significa a união do polo positivo e do polo negativo em saudação a esse que nos guarda de todos os males na realidade em que vivemos. É outra forma de saudar Exu. O objetivo desse gesto é determinar limpeza e descarrego espiritual.

APONTE A CÂMERA DO CELULAR
PARA ESTE QR CODE E VEJA COMO
FAZEMOS ESSA SAUDAÇÃO

https://umbandaead.com.br/livro/umbanda-para-iniciante/saudacao-exu-gesto-02

Gesto 3 – Bater os pés três vezes no chão

É um tipo de chamamento: "Eu saúdo a terra, saúdo a força telúrica, saúdo Exu e te chamo, te firmo". É justamente um chamado. Esse é o significado das três batidas de pé. É um rito dentro da Umbanda, mas sem maiores explicações mirabolantes, muito parecido no sentido que o "bater paô" tem (vide adiante). Significa "estou te evocando, te quero aqui e agora". É possível ver pessoas fazendo apenas o cruzamento das mãos (dos polos negativo e positivo) ou batendo três vezes no chão. A esses gestos também se aplica o mesmo significado: "Estou aqui, te chamo, te reverencio, peço sua presença". Aqui, entendemos o porquê desse rito de entrada no terreiro, que é muito comum e é também um pedido de bênção e licença para poder dar o próximo passo. Existe a explicação mítica que recorre aos Itãs[3] para fundamentar por que Exu é saudado primeiro. Neste tópico, mantive-me fiel à proposta do livro, que é explicar de forma simples e específica o significado espiritual, mágico e religio-

3. Itãs: lendas e mitos da cultura Iorubá.

so do que acontece na Umbanda, quando acionamos qualquer ato no terreiro.

APONTE A CÂMERA DO CELULAR PARA ESTE QR CODE E VEJA COMO FAZEMOS ESSA SAUDAÇÃO

https://umbandaead.com.br/livro/umbanda-para-iniciante/saudacao-exu-gesto-03

Gesto 4 – Bater Paô

Bater Paô ou *Pawo* (pronuncia-se Paó) é o ato de bater palmas ritmadas, com três palmas mais lentas, seguidas de sete rápidas, processo repetido três vezes.

Originado no culto Iorubá em todas as nações, é um gesto litúrgico muito importante que expressa respeito e devoção, ao mesmo tempo que evoca uma força divina sempre antes de iniciar um procedimento e também em seu encerramento.

APONTE A CÂMERA DO CELULAR PARA ESTE QR CODE E VEJA COMO FAZEMOS ESSA SAUDAÇÃO

https://umbandaead.com.br/livro/umbanda-para-iniciante/saudacao-exu-gesto-04

SÍMBOLOS DE EXU E SIGNIFICADO

Ferramentas e tridente

APONTE A CÂMERA DO CELULAR PARA ESTE QR CODE E VEJA AS FERRAMENTAS DE EXU

https://umbandaead.com.br/livro/umbanda-para-iniciante/ferramentas-de-exu/

No terreiro, você verá objetos iguais ou muito parecidos com essas ferramentas que você vê pela realidade aumentada no celular. Esses são pontos riscados de algumas linhagens de Exu muito conhecidas. É comum encontrá-las logo na entrada do terreiro. O tridente é um símbolo muito forte quando falamos de Exu, seu significado está atrelado à característica energética dessa força espiritual.

Exu é tripolar. Ele carrega a energia vitalizadora, desvitalizadora e neutralizadora. De forma simplificada, Exu é a força potencializadora da ação da Lei Divina, bem como a potência enfraquecedora de ações contrárias à Lei ou neutralizadora, quando assim for necessário. Entendemos, aqui, que o tridente carrega a expressão dessa característica tripolar peculiar de Exu.

O quadrado simboliza Exu, e o redondo, Pombagira, muito embora isso não seja um conceito unânime em todas as vertentes da Umbanda. O magnetismo do ferro com o qual são feitos esses objetos é ideal para o desencadeamento vibratório.

Carranca

APONTE A CÂMERA DO CELULAR PARA ESTE QR CODE E VEJA O QUE É UMA CARRANCA

https://umbandaead.com.br/livro/umbanda-para-iniciante/carranca/

Você também poderá ver na Tronqueira uma carranca que parece bem assustadora, mas que está ali guardando a entrada. A carranca é um elemento simbólico da tradição ribeirinha do Brasil, usada na proa de barcos e navios para afastar maus espíritos. Foi absorvida com esse mesmo propósito por segmentos afro-religiosos conectados à esquerda[4]. São comuns, em algumas regiões do país, em frente ao terreiro ou na Tronqueira.

Cor preta

APONTE A CÂMERA DO CELULAR PARA ESTE QR CODE E VEJA IMAGENS POPULARES DE EXU

https://umbandaead.com.br/livro/umbanda-para-iniciante/imagens-populares-de-exu/

Preto, para Exu, e vermelho, para Pombagira, são, por excelência, as cores da esquerda da Umbanda. Para muitas pessoas, a cor preta está associada a algo negati-

4. Esquerda: termo utilizado para definir Exu, Pombagira, Exu Mirim e Pombagira Mirim na Umbanda.

vo, às sombras, à escuridão, a medos e coisas malignas, fruto do racismo religioso tão perene e impregnado em nossa sociedade. Mas, na essência e para Exu, essa cor representa a seriedade, a postura, a sobriedade, a solidez. Na maçonaria, por exemplo, a vestimenta é preta. O apelido dos maçons é bode preto, que significa "a cor dos iniciados" ou o passo além. Você também vai perceber que, na Igreja Católica, o bispo — posto máximo antes do "iluminado", que é o papa — veste-se de preto. O papa já não vestirá preto, mas os cardeais e bispos, sim, porque essa é a cor que simboliza a convicção, o poder, a força, a determinação. São indivíduos que, naquela linguagem religiosa, estão muito à frente dos seres humanos em relação a Deus. Estão além no nível de determinação, convicção e comprometimento que eles representam. Não é meramente estético ou porque o preto cai bem, é fundamentalmente simbólico. Os maiores cargos das freiras também seguem essa lógica. Elas vestem preto: o hábito delas é dessa cor, e não o cinza das iniciantes. O hábito é preto porque essa cor é o enlace principal e final. É o comprometimento, a convicção e a graduação.

Na religião católica, você vê o preto como símbolo de imponência, mas, quando estamos num terreiro de

Umbanda, é uma cor que causa medo, não é? Vemos bispos vestindo esse tom e está tudo certo. Mas para Exu não pode? Vamos refletir sobre isso. O preto na força de Exu significa determinação, força, proteção, magia, introspecção também, porque no preto tudo se anula. Ao usar uma vela preta no seu trabalho, ele passa esta mensagem: "que toda magia negativa nela se anule". Quando essa força recolhe algo, isso será anulado, porque o preto é o consumidor do negativo. Esse é o significado do preto em tudo o que se relaciona à força de Exu e às suas representações físicas.

Cor vermelha

APONTE A CÂMERA DO CELULAR PARA ESTE QR CODE E VEJA IMAGENS DE POMBAGIRAS POPULARES

https://umbandaead.com.br/livro/umbanda-para-iniciante/imagens-populares-de-pombagiras/

Quando nos deparamos com o vermelho na entrada do terreiro, onde está a Tronqueira, ele está simbolizando as Pombagiras. E o que significa essa cor para essas

Entidades? O vermelho significa estímulo, magia, movimento, desejo, vida! É a cor do nosso fluido vital. O sangue é propriamente a vida no nosso organismo. E, para Pombagira, traz esse sentido do que é vibrante, do que pulsa e estimula o movimento. Não é um estímulo ou desejo sexual, é uma vontade de vida. Ela representa nosso relacionamento espiritual com Deus de uma forma muito profunda, na qual existem magia, encantamento e emoção. Pombagira nos ensina sobre a liberdade, e sua cor pulsa em si essa simbologia, como quem diz: "deixe seus entraves e ideias preconcebidas sobre o todo e permita-se viver de verdade!".

Quanta coisa podemos aprender e absorver apenas ao chegar no terreiro. Aos olhares atentos, cada segundo pode ser a descoberta de novos universos. Isso tudo compõe as firmezas de Exu. Ali está a presença da energia de Exu, fazendo seu trabalho de recepção e de segurança na entrada do terreiro de Umbanda.

SALVE EXU,

SALVE POMBAGIRA,

LAROYÊ, MOJUBÁ!

A SINETA TOCOU

UFA, passamos pela Tronqueira! Estamos autorizados a pisar em chão sagrado. Agora você está dentro do terreiro. As coisas são mais claras, coloridas, e o cheiro de ervas é acolhedor. Percebemos, no início, que há uma separação entre as pessoas, frequentadoras ou visitantes, e aqueles que usam um uniforme, que pode ser inteiro branco, preto ou vermelho. Normalmente, existe uma parede pequena, correntes ou uma cerca que separa aqueles que estão ali para a consulta, esperando para tomar o passe dos trabalhadores da casa. Os médiuns, na maioria das casas, estão em círculo, e é comum que os homens estejam separados das mulheres. Ao fundo, você observa algo familiar: um altar. Na Umbanda, o altar pode ser chamado de Peji, Congá, Gongá ou somente altar mesmo. É nele que temos as imagens e diversos símbolos da religião. Santos católicos, índios, Pretos-velhos, Orixás. Pode até acontecer de ter um Buda ou deuses indianos. É possível observar algumas prateleiras em formato piramidal, com velas de diferentes cores acesas e com Jesus na ponta superior. Calma, está tudo bem. Na Umbanda, vivemos "sincretismos", ou melhor dizendo, correlações e influências de diversas religiões e culturas, e tudo o que propaga o amor é bem-vindo por aqui.

Ao ver Jesus, é comum o iniciante sentir uma identificação, e muitas pessoas me contam sobre sua primeira vez no terreiro dizendo que essa imagem lhes deu "segurança" para continuar na gira. Tem Santa Bárbara, tem Nossa Senhora, tem São Jorge. Um cheiro frutado de ervas e incensos começa a tomar conta do seu olfato e, à medida que você vai decifrando tudo isso, o estranhamento começa a dar lugar a um sentimento bom e novo. De repente, toca-se a sineta, rufam-se os tambores, a defumação toma conta do ambiente, e as pessoas começam a cantar, bater palmas e se movimentar. O grande momento chegou, as pessoas se olham felizes, e você entende que o ritual começou. Continuamos de olhos atentos e observando, porque agora começa a gira de Umbanda...

APONTE A CÂMERA DO CELULAR PARA ESTE QR CODE E VEJA A ORGANIZAÇÃO DA GIRA DO INSTITUTO CULTURAL ARUANDA

https://umbandaead.com.br/livro/umbanda-para-iniciante/gira-do-instituto-cultural-aruanda/

O SOM E O CHEIRO DOS ORIXÁS

Não dá para entender ao certo as palavras pronunciadas nos cantos. Muitas expressões vêm de dialetos africanos e antigos. Esses são os Pontos Cantados. É a música sagrada da Umbanda. Ponto, nesse contexto, assim como nos Pontos Riscados que veremos adiante, absorve o significado de pontuar, fixar, criar um ponto de conexão. Ao cantar, criamos pontos de conversão sonora e vibratória. É um chamamento, é o verbo acionado, e, quando falamos de Umbanda, tudo é magia!

"DEFUMA COM AS ERVAS DA JUREMA,
DEFUMA COM ARRUDA E GUINÉ.
ALECRIM, BENJOIM E ALFAZEMA...
VAMOS DEFUMAR FILHOS DE FÉ."

A ideia é recitar e determinar no verbo. Transformar em verbo aquilo que você quer. Que a fumaça sagrada — combinação do fogo, do ar e de um conjunto de ervas e elementos vegetais rezados, separados e secados religiosamente — propague-se pelo ar e altere a energia do ambiente. Logo isso começa a surtir efeito nas pessoas. Essa fumaça aromática toma conta do ambiente e muda a vibração. É real, algo está acontecendo em você. Cantamos os pontos de defumação enquanto alguém do terreiro, normalmente os Cambones[5], passa com o turíbulo[6] ou qualquer latinha de metal furada com carvão e ervas, distribuindo a fumaça sagrada. Ela passa pelo sacerdote, pelos médiuns e chega até os consulentes[7]. Quem recebe a defumação responde com um gestual típico da Umbanda, cruzando os pulsos e arqueando-se para baixo em sinal de respeito e reverência. É comum também, nesse momento, girar em seu eixo, para que ela se espalhe por todo o seu corpo.

---

5. Cambone: cargo no terreiro desempenhado por pessoas preparadas para auxiliar as Entidades de diversas formas.

6. Turíbulo: receptáculo da brasa com uma correntinha, objeto no qual se colocam o carvão e as ervas, para fazer a defumação.

7. Consulente: pessoa que vai ao terreiro para se consultar com as Entidades.

Ali é o sinal de que aquela pessoa abre seu campo energético para ser purificado, equilibrado e energizado. Quem está vivendo isso pela primeira vez repete o gesto, sem saber ao certo por que está fazendo aquilo. A defumação é o primeiro ato no terreiro, 99% das casas de Umbanda realizam a defumação antes de começar qualquer coisa. Não se faz nada sem antes purificar e limpar o ambiente. O terreiro precisa estar pronto para atrair coisas boas e viver o relacionamento com Deus, Orixás e Entidades. Se nesse terreiro existe uma cortina no altar, é agora que ela se abre. A abertura da cortina também faz parte do rito e é um momento muito importante e bonito. Não existe certo e errado. Se esse ritual não existe no terreiro que você conhece, está tudo bem. Outro ponto embala as pessoas e ouvimos...

"ABRE A CORTINA, EU QUERO VER PAI OXALÁ. ABRE A CORTINA, EU QUERO VER SENHOR OGUM. QUERO VER SENHOR OXÓSSI..."

É emocionante! Para quem está envolvido com o sagrado, há uma expectativa muito grande para esse rito. É como se a porta do céu se abrisse e então víssemos Oxalá, Ogum, Oxóssi, Iemanjá e todo o "céu Umbandista", que chamamos de Aruanda ou Orun. Agora você se conectou com o ritual e, lentamente, está se "deslocando" da realidade lá de fora. A porta com objetos "estranhos" já não é uma pulga atrás da orelha, e você está imerso no ritual de Umbanda. Algo completamente novo, diferente e até estranho, mas que faz todos se sentirem bem. O sacerdote da casa agora se prepara para falar com os consulentes e médiuns. Nem todo terreiro adota as palestras antes de os trabalhos começarem, mas é cada vez mais comum a necessidade de se voltar para o público e explicar o que está acontecendo ali. Muito provavelmente, você já deve ter ouvido dentro do terreiro isso que acabei de explicar. Após isso, todos se voltam para o altar e iniciam-se algumas orações. Todo terreiro de Umbanda reza. É muito comum uma reza com traços do catolicismo. Não está próxima ao modelo protestante de fala alta para Deus "ouvir", nem mesmo do Candomblé, que se reserva aos seus cantos devocionais. Na Umbanda, é comum ouvirmos o Pai-Nosso, a Ave-Maria, a Prece de Cáritas e orações livres aos Orixás e guias. Todo esse universalismo ajuda também a conectar aqueles que visitam e a inseri-los no rito. Cria-se um link com aquele momento da reza, e entramos definitivamente na conexão da concentração sagrada. Se a pessoa não entende e continua deslocada, acaba não conseguindo fazer o link naquele momento tão rápido. Portanto, a oração é primordial no rito. Ela é o pedido de licença para o plano espiritual, para Deus, Orixás e espíritos, para que possamos abrir a gira e começar os trabalhos. Um detalhe é que a oração é dividida nas seguintes etapas: pede-se licença e pede-se a bênção.

Pediu-se licença. Licença concedida. Vamos começar o rito de louvor e exaltação! É comum que nessa hora comece a tocar o hino da Umbanda ou o ponto de abertura da gira:

"VOU ABRIR MINHA JUREMA.
VOU ABRIR MEU JUREMÁ."

"EU ABRO A NOSSA GIRA
COM DEUS E NOSSA SENHORA.
EU ABRO A NOSSA GIRA,
SAMBORÊ PEMBAS DE ANGOLA."

Esse é um ponto muito tradicional. Você já deve ter ouvido no terreiro que você frequenta ou em algum lugar que já visitou. Muitas pessoas cantam errado, e nenhuma delas entende o que se está evocando aqui. "Eu abro a nossa gira" — simboliza a abertura do ritual e os trabalhos espirituais. "Com Deus" — aqui, saúda-se um Deus mais universal. "E Nossa Senhora" — saudação às vertentes católicas. "Samborê Pembas de Angola" — samborê é um termo bantu[8], de Angola, que significa sambar, pular com alegria, movimentar; e pembas vem de m'pemba, um termo usado para sacerdotes e curadores; essa parte é uma remissão à África. Então, finalmente, abrimos nossa gira com todo o "céu", com todos aqueles que trazem coisas boas.

Ponto de abertura

O ponto de abertura da gira é a chave e é super necessário, porque ali você dá o comando da abertura do trabalho espiritual. Tudo o que precisa existir dentro de uma liturgia é iniciado pelos comandos corretos.

8. Bantus: grupo etnolinguístico da África subsaariana.

Ponto de saudação

Após a abertura, temos os pontos de saudação, que são direcionados ao Orixá que rege a gira naquele dia. Ele também pode ser direcionado em saudação ao sacerdote ou à sacerdotisa da casa. Alguns terreiros também podem entoar, nesse momento, o ponto das sete linhas de Umbanda (sete ou mais Orixás que o templo cultua). O ponto de saudação pode ser também rotativo, de acordo com o que o Ogã decidir ou o sacerdote/sacerdotisa puxar. Ele é livre e de escolha daquela casa, essas são as possibilidades mais comuns. Em algumas casas, é um momento rápido do ritual, em outras, leva-se mais tempo, podendo-se até mesmo cantar individualmente para cada Orixá que a casa cultua. Vou deixar aqui um ponto de saudação clássico. Você também poderá acessá-lo no Spotify da Umbanda EAD, pelo QR Code que vou deixar a seguir. Esse ponto é um dos mais bonitos e emocionantes da Umbanda.

“REI DA DEMANDA É OGUM MEGÊ
QUEM ROLA AS PEDRAS É XANGÔ KAÔ
FLECHA DE OXÓSSI É CERTEIRA, É
É, É, É, OXALÁ É MEU SENHOR, Ô, Ô, Ô, Ô
É, É, É, OXALÁ É MEU SENHOR, Ô, Ô, Ô, Ô

SETE LINHAS DE UMBANDA
SETE LINHAS PRA VENCER
DENTRO DA LEI DE OXALÁ
NINGUÉM PODE PERECER

SALVE OXUM NAS CACHOEIRAS
IEMANJÁ, DEUSA DO MAR
IANSÃ PRA DEFENDER
PAI OGUM PRA DEMANDAR.”

Esses pontos têm o objetivo de atrair a vibração da Divindade e também ajudar as pessoas que estão ali a se deslocarem da realidade e das preocupações. A Umbanda tem todo um ritual para preparar a pessoa a entrar efetivamente no trabalho espiritual e viver uma comunhão com o axé que o terreiro está movimentando. Isso já faz parte de uma mística de cura, acolhimento e bem-estar. Saúdam-se as sete linhas de Umbanda, e em seguida saúda-se Exu.

APONTE A CÂMERA DO CELULAR PARA ESTE QR CODE E VEJA O SPOTIFY DA UMBANDA EAD

https://umbandaead.com.br/livro/umbanda-para-iniciante/ponto-de-saudacao/

Saudação a Exu

Este é um rito que causa estranheza. As pessoas começam a falar algo que talvez você não entenda: "*Laroyê Exu*". Em seguida, todo mundo vira as costas para o altar, voltando-se para a rua, a saída. Parece que algo vai acontecer. Para quem nunca foi a um terreiro, isso é muito estranho.

APONTE A CÂMERA DO CELULAR PARA ESTE QR CODE E VEJA A SAUDAÇÃO A EXU DO INSTITUTO CULTURAL ARUANDA

https://umbandaead.com.br/livro/umbanda-para-iniciante/saudacao-a-exu-do-instituto-cultural-aruanda/

Logo depois, vemos o sacerdote passando pelas pessoas e indo em direção à porta — onde estavam os elementos de Exu e Pombagira, na entrada. Nesse momento, alguém do terreiro ou o sacerdote joga pinga no chão, acende uma vela e deposita um padê[9]. Esse ritual é a saudação a Exu, é como se fosse um cumprimento, uma reverência. Todo mundo está se voltando para a Tronqueira, que é a "casa" de Exu. Ele está guardando o terreiro, e o ponto cantado dessa saudação é sobre essa guarda montada. Por isso, não confunda com a chamada de Exu. Normalmente, o ponto cantado reafirma o: pedido de proteção da casa. É como se disséssemos: "Exu, cuide do terreiro, cuide do nosso trabalho, cuide da nossa gente". Um clássico é este:

9. Padê: preparado de farinha de mandioca grossa com cachaça e dendê. É a oferenda tradicional de Exu.

"DEIXEI MEU SENTINELA
TOMANDO CONTA DA CANCELA.
DEIXEI MEU SENTINELA
TOMANDO CONTA DA CANCELA.
DEIXEI SEU TRANCA RUAS TOMANDO
CONTA DA CANCELA."

Outro muito famoso é este:

"ESTAVA DORMINDO NA BEIRA DO MAR.
ESTAVA DORMINDO NA BEIRA DO MAR.
QUANDO AS ALMAS ME CHAMOU..."

Esse ponto é muito significativo. "Estava dormindo na beira do mar, e os espíritos desse terreiro me chamaram para trabalhar." "Acorda, Tranca Ruas. Vai vigiar." Chama-se alguém para fazer a guarda do terreiro. "O inimigo está invadindo a porteira do curral." Simbolicamente, o curral é o terreiro. Essa parte quer dizer que pode haver inimigo querendo prejudicar as pessoas. Logo em seguida: "Põe a mão nas suas armas". Seu tridente, punhal e demais elementos são essas armas do astral. E o ponto se encerra com o trecho "bota inimigo pra fora, pra nunca mais voltar. Bota inimigo pra fora, pra nunca mais voltar". Por isso, quando está todo mundo virado para a rua ou para a Tronqueira, cantando um ponto como esse no chamamento de Exu para vigiar o terreiro, algo acontece no astral. No plano espiritual, está acontecendo realmente esse chamado. Nesse momento, entra para o lado interno do terreiro o batalhão de Exus que estava lá fora fazendo o cinturão de proteção. Os médiuns e as pessoas sentem, percebem que algo diferente está acontecendo mesmo. Nessa hora, a curimba[10] fica bem enérgica, porque é toque de guerrilha para poder tirar o mal. Tirar os cordões negativos e as coisas que estão perturbando as pessoas. Os Exus entram em batalhão e vão passando um por um, fazendo uma limpeza mais profunda, mais vital. Auxiliam já ali no livramento de perturbações que porventura estejam ativas. Retiram espíritos que estejam envolvendo o campo espiritual das pessoas e que, de repente, sejam exatamente o motivo de a pessoa ter ido ao terreiro. Eles fazem essa varredura no terreiro. Saem e voltam para o

10. Curimba: grupo de pessoas que têm uma hierarquia dentro do terreiro de Umbanda e são responsáveis pelo toque dos atabaques e demais instrumentos do local.

cinturão de proteção, que é feito não só na frente do terreiro, mas em todo o perímetro de alguns quarteirões em volta. De fato, no plano espiritual, é isso que acontece no momento em que saudamos Exu. Leitor(a), aqui nós já saudamos Exu e já fizemos a saudação das linhas de trabalho e dos Orixás. Abrimos oficialmente a gira e agora vamos nos voltar de novo para o Congá.

QUE COMECEM OS TRABALHOS...

Agora, vamos cantar para o Orixá incorporar ou para saudar o Orixá de "sustentação" da gira, ou seja, o axé que será reverenciado e cultuado nesse dia. É possível também cantar para a linha de trabalho que irá se manifestar nesse dia. Na gira de Caboclo, canta-se livre para a força de Caboclo, e assim com Preto-velho, Baiano e todas as outras linhas. Nesse momento do ritual, a espiritualidade está prestes a se manifestar. O sacerdote/sacerdotisa é o primeiro a "dar passagem"[11] para os seus

11. Dar passagem: termo utilizado para indicar que o médium permitiu a incorporação do espírito.

guias, seguindo-se pela hierarquia. Depois dele, vem mãe ou pai pequeno e, então, os médiuns. Começam a tocar os pontos daquelas Entidades e, a partir daí, é o ápice para o iniciante na religião. Até o momento, você estava contemplando, vendo tudo aquilo, achando graça, achando estranho. Agora você já está envolvido. De repente, toca-se um ponto para Caboclo, e lá no pé do Altar está alguém, que é o Pai de Santo ou a Mãe de Santo, e todo mundo se ajoelha. Cria-se uma expectativa no ambiente. Você vê, de repente, aquela pessoa se chacoalhar, rodopiar, e já não é mais ela. Ela grita, pula, bate no peito. Vem o cambone e entrega um charuto, depois um cocar. Aquela pessoa não é mais ela.

O que está acontecendo? Onde ela foi parar? O espírito a tomou? É possessão? É efeito Ghost? O espírito dela saiu, e outro espírito vestiu o corpo dela? Tudo muito estranho no início. Logo percebemos que a pessoa está estranha. Anda mancando, fala estranho. Cospe, fuma o charuto, coloca o cocar e os colares. Está muito diferente, com um rosto fechado, carrancudo. Depois disso, todos os médiuns da casa começam a incorporar. Você sai correndo agora ou não sairá mais. Risos. Agora todos de branco começam a chacoalhar, e se forma aquele barulho no terreiro. Caboclada gritando e dançando pelo terreiro, e muda completamente a atmosfera do ambiente. Os trabalhos estão abertos, e o sagrado está em terra!

Explicando a gira

Antes de falarmos sobre a gira, quero explicar de antemão que os rituais da Umbanda não são engessados, e não existe regra para exercê-los. A Umbanda é uma religião muito livre. Esse é um ponto muito positivo, no entanto, essa também é nossa maior dificuldade quando estamos explicando os fundamentos de terreiro. Não deixe de visitar outros terreiros, não fique preso ao universo daquele que conheceu primeiro. Não existe engessamento no processo ritualístico da Umbanda, e podemos conhecer as várias formas em que ele se manifesta. Embora em muitas casas isso possa ser um tabu, assemelhando-se a uma espécie de pecado, não é errado. Acredite, todos podem e devem ter a referência de outras casas. Só assim podemos perceber que há coisas peculiares em cada terreiro, mas há

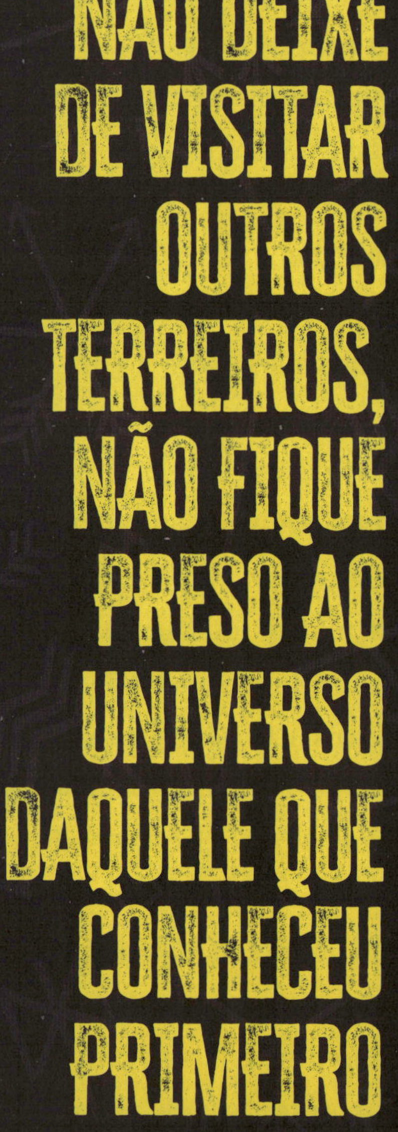

UMBANDA PARA INICIANTES

RODRIGO QUEIROZ

questões ali que são mais universais, como a manifestação dos espíritos e o atendimento. O que vai mudar, às vezes, é quando uma casa tem um dia dedicado a algo muito especial. Por exemplo, uma festa para um Orixá especial ou uma gira especial de cura. Esses são casos de ritos genuínos e peculiares de um terreiro em questão. Nesta obra, vamos entender o processo ritualístico mais universal, combinado? Vamos lá!

Estamos na gira, todos estão posicionados no terreiro. Normalmente, mulheres de um lado, homens de outro, mas eles tentam formar um círculo, e esse círculo significa a corrente de médiuns. Já nos terreiros frequentados por muitas pessoas, acontece de a formação do grupo mediúnico ser em filas, divididas em colunas. Isso não é tão comum, mas podemos observar essa variação em alguns terreiros Brasil afora. O comum é que se tenha um grupo de pessoas de forma harmônica e que elas fiquem posicionadas de maneira circular. Isso, por si só, significa muita coisa. A distribuição das pessoas do terreiro também segue uma hierarquia, como citei anteriormente. O sacerdote está na ponta, seguido dos pais e mães pequenos. À esquerda, está a curimba e, à direita, o camboneamento, e só então começa a corrente de médiuns em círculo. Essa organização tem um propósito. Ela está assim para que o fluxo energético e magnético permaneça em harmonia durante a gira. Aqui, estou citando alguns dos costumes que você verá com mais frequência, não é que seja errado homens e mulheres juntos. Há casas que não vão separar, e também está tudo certo. O maior problema que nós temos na Umbanda de forma geral são as regras absolutas e que ninguém pode fazer diferente; isso só traz transtornos e discussões sem produtividade alguma. Mas, caso exista essa norma no terreiro que você frequenta, quero que entenda o motivo dessa separação, por isso, fundamentei. Essa é a forma geral de organização da corrente mediúnica dos trabalhadores dentro de um terreiro. Pode acontecer também de, em dias específicos, com dinâmicas estratégicas, o dirigente do templo decidir por intercalar homens e mulheres, para algo especial. Mas essa é a mais comum.

APONTE A CÂMERA DO CELULAR PARA ESTE QR CODE E VEJA A ORGANIZAÇÃO DA CORRENTE DO INSTITUTO CULTURAL ARUANDA

https://umbandaead.com.br/livro/umbanda-para-iniciante/corrente-do-instituto-cultural-aruanda/

Vamos seguindo com a gira... Uma das formas clássicas de abrir o trabalho é quando, no terreiro, nós temos uma curimba muito madura, ou seja, com bastante tempo de casa e conhecimento prático. Nesse caso, o Ogã inicia o toque de abertura. Esse toque instrumental avisa para as pessoas dentro do terreiro que é a hora de cada um se posicionar no seu lugar, porque os trabalhos estarão abertos. A chamada de atenção também inclui outro clássico, que é o toque de sinete. Ao tocar o sinete uma, duas ou mais vezes, o sacerdote está dando o comando de posição, porque os trabalhos estão prestes a iniciar. O sinete, assim como tudo no terreiro, é um elemento rezado, imantado, consagrado e recebe uma função mágico-religiosa. Não é somente o sino — objeto ou estrutura metálica para chamar a "boiada". No terreiro, ele inclui toda uma reza e imantação. Esse processo garante um vínculo vibratório com o

Congá e outros assentamentos do terreiro. Todos os elementos, quando utilizados, disparam um magnetismo para o campo vibratório do terreiro e, dessa forma, interligam as energias do Congá e dos assentamentos. Do lado espiritual, isso também acontece, é como se disparasse um comando de que agora, nesse terreiro, nesse ponto do universo, vai começar uma gira de Umbanda. Toda espiritualidade envolvida recebe esse "aviso" pelo simples ato de tocar o sinete. O sinete tem de ser tocado pela mão preparada. Não dá para o sacerdote pedir para qualquer um. Não vai funcionar. Somente a sua mão tem a conexão com o elemento. Ao tocar o sino, os médiuns logo sentem uma mudança atmosférica no ambiente. Isso é a magia de terreiro que você vai sentir nesse ambiente místico de Umbanda. O toque do sino tem essa função. Acaba servindo também para organizar e alertar a todos: "Silêncio, vamos começar".

O sacerdote exclama "Saravá Umbanda". Há muitas especulações sobre esse termo, e nenhuma delas está totalmente correta, porque Saravá faz parte de um dialeto bantu e, portanto, não tem tradução literal. Saravá, na prática, significa algo do tipo “Deus conosco, salve Deus”. É uma expressão de boa sorte e saudação.

Seguimos nossa gira com o sacerdote dizendo “Salve o Cheiro”. A defumação é o encontro de vários elementos: vegetal, telúrico (carvão), ígneo (fogo) e eólico (ar). Quando você joga as ervas secas no turíbulo, elas imediatamente começam a purificar o terreiro e a imantar esse ambiente, para garantir boas vibrações. O rito acontece muitas vezes assim: no espaço físico do terreiro (normalmente um retângulo), o sacerdote defuma o altar, a curimba e o camboneamento. Além disso, faz um “X” no meio do terreiro. Esse cruzamento dos quatro cantos serve para “selar” o solo sagrado com as ervas. A defumação será passada em cada um dos presentes. Nesse momento, a pessoa não sabe direito o que fazer e repete os gestos das demais. Explico: esse movimento de cruzar as mãos, quando o turíbulo passa por você, significa: “Eu saúdo as ervas e abro o meu campo energético para receber esse benefício”. Passa-se por todos os membros do espaço interno do terreiro e depois pela consulência. Após defumar as pessoas, é comum repetir a defumação na porta do terreiro. Esse é o “fechamento”, e quem está fazendo a defumação está rezando para Exu, para as forças espirituais, para que ele leve, faça a varredura e encaminhe todo o mal energético que as ervas tenham derrubado e queimado do campo energético das pessoas. O primeiro ato no terreiro de ação litúrgica é a defumação e o incensamento. Outra coisa muito importante é que os membros do terreiro que estão lá na corrente entendam os pontos cantados. Quando você canta errado, não adianta falar: "mas a intenção era certa". A música de terreiro é magia, e cantando errado você está fazendo magia errada. Não trará os mesmos efeitos. O ponto cantado traduz determinações que devem acontecer naquele momento e revelam algumas dicas importantes de magia. Por exemplo, no ponto de defumação:

"DEFUMA COM AS ERVAS DA JUREMA,
DEFUMA COM ARRUDA E GUINÉ.
ALECRIM, BENJOIM E ALFAZEMA...
VAMOS DEFUMAR FILHOS DE FÉ."

Esta é uma receitinha de defumação. Outro exemplo:

"CORRE, GIRA, PAI OGUM.
FILHOS QUER SE DEFUMAR.
A UMBANDA TEM FUNDAMENTO,
E É PRECISO PREPARAR.
CHEIRA INCENSO E BENJOIM,
ALECRIM E ALFAZEMA.
DEFUMA FILHOS DE FÉ,
COM AS ERVAS DA JUREMA."

Esse ponto é uma afirmativa: defume e purifique os filhos porque a Umbanda tem fundamento. O que estamos fazendo aqui é Lei, tem motivo, não se pode duvidar disso. É preciso preparar significa preparar as pessoas para o entendimento sobre a religião. E aí está a receitinha. Para quem não sabe o que usar na defumação, o ponto já ensina. Já neste caso, esse ponto serve como uma determinação mágica:

“DESCARREGA FILHOS DE UMBANDA,
MEU SANTO ANTÔNIO, AUÊ, AUÊ.
DESAMARRA FILHOS DE UMBANDA,
MEU SANTO ANTÔNIO, AUÊ, AUÊ.”

Ele pede para que essa nuvem de ervas descarregue, desamarre e desate os nós. Você dá um sentido para aquela defumação. Essa defumação vai descarregar o campo vibratório do indivíduo. Por isso é tão importante que se entenda o que estamos cantando. Também é importante que todos cantem, porque a Umbanda é vibração, e ela é sustentada vibratoriamente pelos cantos, palmas e o toque da curimba!

APONTE A CÂMERA DO CELULAR PARA ESTE QR CODE E VEJA O SACERDOTE DEFUMANDO NA ABERTURA DOS TRABALHOS.

https://umbandaead.com.br/livro/umbanda-para-iniciante/sacerdote-defumando-na-abertura-dos-trabalhos/

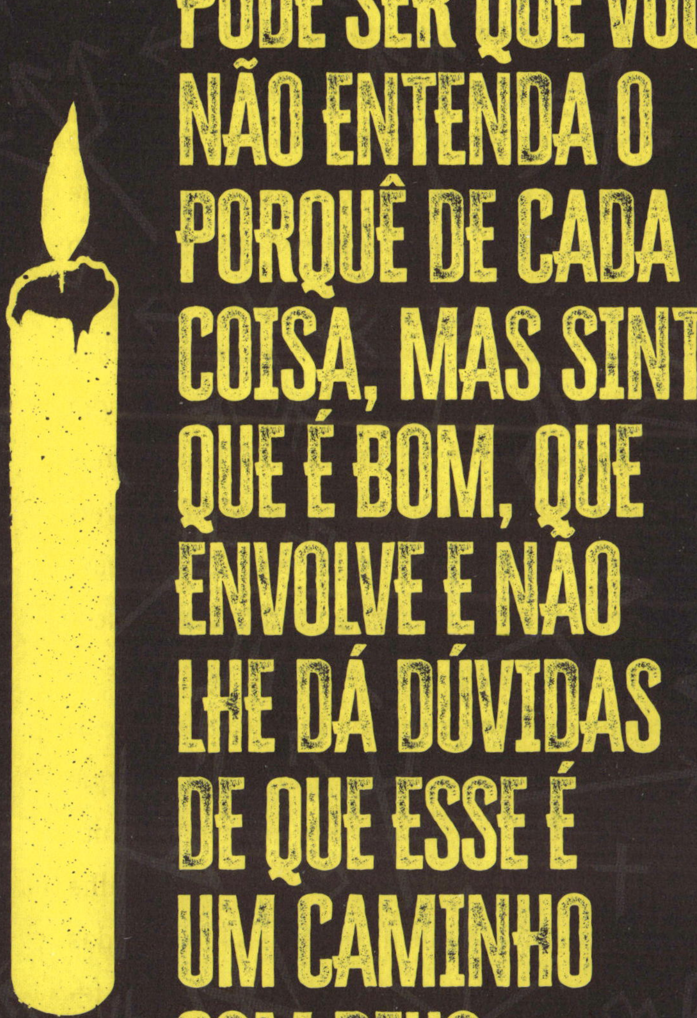

UMBANDA PARA INICIANTES

RODRIGO QUEIROZ

PROPÓSITO DA MANIFESTAÇÃO DOS ESPÍRITOS

Já defumamos, rezamos, saudamos, e esse é o momento da gira que, para aquele que vem pela primeira vez, causa mais estranhamento, para não dizer medo. Na maioria dos terreiros, você recebe uma senha ao entrar. Essa senha será chamada logo após as incorporações dos médiuns, quando for o momento de a pessoa conversar com o espírito. Eles te dizem: "Vai lá com o Caboclo Arariboia. Vai lá com o Pai Joaquim da Guiné. Vai lá com o Sr. Tranca Ruas das Almas. Conversa com a Maria Quitéria. Conversa lá com o Pedrinho. Conversa com o Severino". Logo você está na frente de algo totalmente desconhecido que veio do além, e isso pode reverberar de inúmeras formas. Pode ser um impacto muito positivo ou de pavor. Embora sua razão tente dizer que é para desconfiar dessa situação, emocionalmente você sente um conforto, sente-se bem. Um detalhe que eu acho incrível é que as pessoas são atendidas num local aberto, exposto. Não há um ambiente fechado para cada atendimento. Não são baias que separam os médiuns incorporados, estão todos um ao lado do outro e bem próximos. Mas isso não impede que o consulente se sinta diante de algo sagrado. Ao ficar de frente com as Entidades, você começa a não perceber mais as coisas ao seu redor. A sensação é de estar em uma sacristia, mesmo. Essas sensações são fluxos emocionais, mas também englobam muita manipulação energética da espiritualidade. Se por alguns segundos tentamos racionalizar esse momento, chegamos à conclusão de que é algo muito maluco. Imagine que você está em frente a um espírito que chamam de Caboclo Arariboia. Esse espírito fala estranho, arrastado. Não é possível compreender o que ele diz e é preciso um intérprete (geralmente o cambone). Mesmo assim, você se sente acolhido e tem vontade de desabafar coisas íntimas de sua vida. A sua escuta se transforma e você passa a ouvir com atenção cada palavra pronunciada nessa conversa. Esse poder da espiritualidade de "entrar na nossa mente", acessar o coração e se envolver com nossa alma é algo vital. É algo que justifica toda a quebra de padrões para continuar naquele ambiente, esperando o que está por vir. Pode ser que você não entenda o porquê de cada coisa, mas sinta que é bom, que envolve e não lhe dá dúvidas de que esse é um caminho com Deus. A razão questiona você e vai continuar lhe colocando uma pulga atrás da orelha. Existe um racismo religioso implícito na cultura do nosso país. Tudo isso está impregnado em nossos julgamentos sobre a religião. Ouvimos que "Umbanda é coisa de espírito inferior, porque espírito lorde não precisa de cachimbo, de charuto, de defumação, de vela. São coisas de espíritos apegados a coisas da matéria". Fico imaginando por que um espírito teria interesse em uma vela, algo tão recente na humanidade. Que espírito é esse que é apegado a isso? Qual indígena teve contato com vela, de fato? Para quem não nasceu em berço umbandista, muitas são as preconcepções sobre a religião. Se você foi católico ou protestante, fica a dúvida se as Entidades são os demônios falados na igreja, porque dizem que os espíritos não podem conversar com os homens. Não demora muito para associar a incorporação com uma possessão. Será que estou sendo ludibriado pelo demônio? Tudo isso pode passar pela nossa mente.

Se você vem do espiritismo, logo se lembra dos espíritos perdidos e obsessores que precisam de doutrina. Isso tudo vai compor a imagem da religião em nossa cabeça. E quando não estamos convictos ou não temos algumas respostas, essa imagem acaba se tornando negativa. Por muito tempo, tive dificuldade para dormir quando saía de uma gira. Chegava à minha casa tanto com todas aquelas cenas de coisas que entendia quanto de outras que não sabia o que eram. De coisas com as quais concordava e outras que não me eram agradáveis. Questões que fritavam minha cabeça. Embora eu não tenha tido uma religião "de casa" antes de encontrar a Umbanda, minha fé estava no protestantismo. Acredite, esse autor que aqui lhe escreve fazia parte da Cristã Renovada. Por isso, quando passei a viver essa experiência espiritual na Umbanda, meus primeiros passos foram envoltos de muitas dúvidas. Não sabia se estava sendo enganado, porque, afinal, o Diabo é mesmo muito esperto, não é? Risos. Bom, ao menos era isso que se pregava com muito fervor na igreja evangélica.

Mas a Umbanda não crê no Diabo nem em pecado. Isso muda completamente a relação que temos com Deus e com o mundo. Não buscamos Deus por medo de sermos "infernizados" e cometermos pecados. A Umbanda se fundamenta no que tange ao amor cristão, aquele que busca sempre auxiliar o outro. Lembro sempre a fala do Caboclo das Sete Encruzilhadas, quando ele diz: "Esta religião irá acolher a todos. Todos serão bem-vindos, os que sabem mais e os que sabem menos". Esse é o amor do Cristo posto em prática, que não serve de nada se for colocado apenas como sermão ou discurso. Se não somos capazes de abraçar um estranho, de acolher um enfermo ou de ajudar a quem precisa sem perguntar "Quem é? De onde vem? Para onde vai?", então não praticamos o amor de Cristo.

Isso é vital dentro da Umbanda. Na gira, a maioria dos que estão na consulência não se conhece, não conhece as pessoas que estão ali na corrente mediúnica. Os espíritos tampouco. Quando as Entidades incorporam, elas vêm movidas por um único sentido primário: o amor. Esses espíritos que se manifestam no ambiente de Umbanda nutrem um amor humanitário que nós não conseguimos alcançar. Eles saem de muito longe, de um lugar que não é físico, que é impossível de ser decifrado por nós e que imaginamos ser um "céu" bonito, carinhosamente chamado por nós de Aruanda. Mas eles estão em várias colônias espirituais e diversas realidades espirituais. Deslocam-se por meio do nosso chamamento para exercer, naquele momento, a prática do amor e auxílio, daquela que podemos entender como a mais pura e verdadeira caridade. Não importa o que ele faça, mas, se apenas ouviu por trinta segundos um consulente e deu a bênção, já demonstrou seu amor e interesse pela dor do outro. Ouvir, no mundo de hoje, talvez seja um dos atos mais caridosos que existem. Se a Entidade ouviu e purificou energeticamente essa pessoa, ela já fez a caridade. E se não precisou ouvir nada, mas chegou agindo e auxiliou em uma enfermidade, está ali exercendo a caridade. Não importa o quê, mas sim a disponibilidade e o amor com que estão ali postos. **Com um único propósito:** auxiliar quem precisa. Nada além disso. Sem pedir nada, sem cobrar nada. Não há cobrança econômica ou comportamental. Não vemos, ou pelo menos não deveríamos ver, uma Entidade de Umbanda propor: "faça isso que vou te falar". Isso não vai existir, o que existe é o aconselhamento: "olha, meu filho, você às vezes está sofrendo isso por um conjunto de ações. Se você quer resultados melhores, mude o seu comportamento. Eu vou te ajudar". A ajuda já começa nesse aconselhamento, esse espírito abençoa a sua casa, abençoando você, e clareia os seus pensamentos para um possível caminho. Mas nunca é uma barganha. Percebe, leitor(a)? A motivação é a caridade. Eles nos ajudam e dão o seu melhor, sem cobrar por isso e sem esperar nada em troca. Se são espíritos, anjos ou qualquer que seja o nome que recebem, têm em si a presença do Cristo. Pois onde há prática do amor, há também a presença de Jesus. E quando há Deus e existem Cristo e os Orixás, a verdade faz morada, e a luz ilumina nossas almas. É só com isso que você deve se preocupar. No ambiente de Umbanda, a luz se manifesta de Preto-velho a Exu Mirim. Estes espíritos são seres iluminados que se deslocam de algum lugar para conviver conosco e nos trazer a boa-nova. A prática do amor de Cristo nos leva ao melhor de nós, isso é o que importa. Com isso posto, sinta, reflita, respire fundo, pegue uma água e vamos continuar nossa leitura!

FINALMENTE, VOCÊ ESTÁ DIANTE DA ENTIDADE. A PRIMEIRA COISA QUE VEM À CABEÇA É "O QUE DEVO FAZER?"

UMBANDA PARA INICIANTES

RODRIGO QUEIROZ

CONVERSA COM AS ENTIDADES

Esse é o momento em que atravessamos a linha invisível entre o "profano" e o sagrado. Vamos entrar no espaço das Entidades e nos sentar à frente de uma delas. A primeira coisa que lhe pedem é para que tire os sapatos. Não só os sapatos, é indicado que você tire acessórios de metal, chapéu, boné etc. Esse é um procedimento para que o seu corpo espiritual esteja apto a receber o magnetismo do terreiro e do guia pelo qual será atendido. Os metais, como prata, bronze e cobre, possuem uma energia repulsora, e, no momento em que a Entidade vai aplicar o passe, esses objetos podem dificultar a fixação dessa energia no campo energético da pessoa.

Dica: Ao tirar os sapatos, retire as meias também, os pés em contato com o solo permitem que você sinta o magnetismo do ambiente. Os mais sensíveis notam um adormecimento nas solas dos pés.

Todos os terminais nervosos e energéticos do nosso corpo estão "amarrados" nos pés e nas mãos.

A reflexologia[12] explica muito bem essa questão. O chão sagrado é preparado antes da gira, e, além da defumação, é comum que se passe o fluido, que é um preparado de álcool e ervas de poder. Por isso, tocar os pés no solo sagrado é uma grande oportunidade de absorver as energias balsâmicas como corpo físico e etérico. Lembrando que os terreiros que não adotam o que descrevo aqui não estão necessariamente errados; eles provavelmente possuem os seus próprios subterfúgios para essas demandas. Antes de entrar no local dos médiuns, as pessoas se abaixam e fazem o sinal da cruz no chão com as mãos. Esse é um gesto simbólico, e, para que não terminemos este livro com nenhuma dúvida, explico que é mais um ato de reverência e um pedido de licença para finalmente estar "entre" as Entidades. Corpo limpo, pés no chão, estamos prontos! Alguém lhe diz: "Vá até o altar e bata cabeça". Esse também é um dos ritos dentro da gira que pode causar estranheza, afinal, é um gesto que demonstra submissão para alguns desavisados. Mas, ao contrário do que pensamos, bater cabeça na Umbanda significa

---

12. Reflexologia: estudo dos pontos reflexos do corpo e terminações nervosas presentes em pés, mãos, nariz, cabeça e orelhas.

mais do que prestar reverências e devoção. É um ato sagrado e mágico que permite à pessoa receber, em seu chakra coronário, as energias vindas do Congá, onde, normalmente, todos os Orixás estão assentados. Não há nenhum lugar dentro do templo que tenha maior concentração energética pura, provinda dos assentamentos e irradiações dos Orixás, do que o Congá. Ao estar diante dele e tocar sua testa naquilo que parece uma mesa, seu chakra frontal e o seu Ori[13] absorvem todas essas energias boas, e isso é balsâmico e fortalecedor. Há pessoas que, ao bater a cabeça no Congá, sentem tontura. Não é a glicose nem a pressão que caíram, é uma sensibilidade mediúnica. Foi tão impactante aquela irradiação que é possível senti-la no seu corpo físico. Adormecimento e formigamento também são comuns. Está tudo dentro do esperado! Costumo afirmar que, a partir do momento em que estamos no terreiro, somos, pelo menos durante a gira, umbandistas. Por isso, mesmo aquele que está ali para

---

13. Ori: palavra da língua iorubá que significa, literalmente, cabeça, quando escrita com inicial minúscula. Também é o Orixá pessoal, quando escrito com inicial maiúscula — "Ori" é, neste caso, o Orixá que rege a essência do sujeito.

conhecer deve seguir os ritos daquela casa. Bater cabeça é um dos gestos mais populares na Umbanda. Tem seu sentido religioso, que é a reverência às Entidades e aos Orixás daquela casa, e sua função energética.

Dica: sempre que estiver em solo umbandista e for o momento adequado, bata cabeça. Mesmo a Umbanda ainda não sendo seu caminho de fé, viva todos os ritos da religião.

O cambone guia você até o médium incorporado. Finalmente, você está diante da Entidade. A primeira coisa que vem à cabeça é "o que devo fazer?". Se for um Caboclo, é comum que ele bata no peito com os punhos fechados, cruze os braços à frente do peito e depois, em um gesto de cumprimento, dê um dos braços para que você bata com o seu. Então, você vai cumprimentá-lo com o braço contrário. São três toques seguidos e é o que chamamos de cumprimento cruzado.

APONTE A CÂMERA DO CELULAR PARA ESTE QR CODE E VEJA UM CUMPRIMENTO HABITUAL DE CABOCLO.

https://umbandaead.com.br/livro/umbanda-para-iniciante/cumprimento-habitual-de-caboclo/

Há também o cumprimento de ombro, que é quando a Entidade segura o consulente pelos braços e toca o ombro contrário três vezes, alternando-os. Esse é um cumprimento genuinamente africano. Na África, esse é um cumprimento habitual. Você pode encontrar pessoas se saudando assim. Esse ato tem dois significados importantes: "eu reverencio sua ancestralidade, seu Axé e o saúdo". Na prática umbandista, quando uma Entidade faz isso, ela está realmente o abençoando: "Eu te acolho, te abençoo, te fortaleço".

APONTE A CÂMERA DO CELULAR PARA ESTE QR CODE E VEJA UM CUMPRIMENTO HABITUAL DE ENTIDADES DE UMBANDA.

https://umbandaead.com.br/livro/umbanda-para-iniciante/cumprimento-habitual-de-entidades-de-umbanda/

Ao estar de frente com a Entidade, repita o ato de bater cabeça. À sua frente está um espírito iluminado, um Mestre Espiritual. Essa é uma oportunidade única na sua vida. Mesmo a gira se repetindo todas as semanas, é uma grande honra para nós termos acesso a esses espíritos. Não importa quem é o médium ou qual Entidade está a sua frente. Bata cabeça.

Preto-velho vai lhe recepcionar com o costumeiro cruzamento das mãos. É um cumprimento mais calmo e seguido do benzimento, mas é um gesto muito peculiar dessa linha de trabalho. Cada linha vai ter seu jeito de cumprimentar, que pode ser igual a esses que citei ou muito diferente, e tudo isso vai depender da cultura e da tradição daquela casa. Há Entidades que possuem cumprimentos próprios e específicos, o importante é que o consulente esteja aberto a aprender com ela e seguir seu ritmo. Não precisa saber como agir, apenas estar disponível para que os guias o envolvam no atendimento.

Se a dúvida for o que se pode falar na consulta, a resposta é simples: tudo o que quiser, contanto que haja respeito e boa intenção. A ideia não é questionar, mas você pode perguntar, por exemplo, qual o nome da Entidade com quem está falando. Esse, aliás, é um bom início de prosa! Ao perguntar o nome à Entidade, ela vai lhe responder com o que entendemos por *nome simbólico*. Caboclo Sete Flechas, por exemplo, é um falangeiro do mistério maior. Esse guia pertence a um agrupamento de espíritos com centenas de outros de mesmo nome. Traduzindo as *chaves interpretativas*[14] de seu nome, entendemos que é um espírito no grau evolutivo denominado Caboclo, com regência em Oxóssi e Iansã. O *sete* significa que é iniciado nos sete campos da vida. *Flechas* são símbolos de Oxóssi, e a direção percorrida pela flecha é uma atuação de Iansã como Orixá direcionadora. Caboclo das Sete Flechas é, portanto, um espírito com caminho de evolução específica no axé de Oxóssi — que

14. As chaves interpretativas são o entendimento teológico de cada palavra dos nomes das Entidades e de qual sentido elas revelam no plano espiritual. O aprofundamento desse tema é encontrado no curso on-line "Nomes das Entidades", na plataforma Umbanda EAD.

engloba o conhecimento e a expansão — e atua nos campos de Iansã como aquele que ensina, propaga e direciona os seres para a jornada de evolução. Os nomes são símbolos e revelam um pouco da função desse espírito no astral. Esse não é seu nome de batismo, muito embora possa eventualmente carregar alguma relação. Saber os nomes das Entidades é importante. Caso esse guia lhe peça para acender uma vela em casa, por exemplo, é preciso saber quem evocar e a qual axé se está pedindo a bênção.

Antes de encerrar nossa "visita" ao terreiro, quero esclarecer uma dúvida que recebo constantemente: por que algumas pessoas têm dor de cabeça depois da gira?

Não temos uma única resposta, mas um dos motivos de isso acontecer é a descompensação energética que acontece quando você é descarregado. Chegamos ao terreiro com inúmeras energias acumuladas, principalmente quando é a primeira vez. Isso é perfeitamente normal, ninguém está blindado de energias negativas, até porque nosso próprio pensamento produz essas vibrações densas. No entanto, o seu corpo está "acostumado" com essa carga energética, que, vale lembrar, não é natural dele e pode causar sérios problemas. Mas, ainda assim, essas energias estão com você. Ao receber um descarrego por meio do passe e das inúmeras formas de se descarregar que citei até aqui, seu corpo sente esse impacto, por isso pode acontecer a famosa dor de cabeça.

Outro exemplo é o médium que vai para o trabalho espiritual sem ter feito seus preceitos ou se preparado. Suas energias estão "enfraquecidas" e, ao despender mais energia para o trabalho, pode sofrer um desequilíbrio, gerando, assim, dores de cabeça. São ajustes que devem ser percebidos e adequados. Mas isso não pode ser algo constante, e é necessário avaliar se esse é um ambiente de boas vibrações ou se não existe alguma disfunção com essa pessoa. Procurar um médico é sempre minha indicação, antes de qualquer especulação!

QUEM NÃO SABE A ORIGEM DA SUA RELIGIÃO NÃO ENTENDE O MOMENTO PRESENTE E NÃO CONSEGUIRÁ PREPARAR UM FUTURO

UMBANDA PARA INICIANTES

RODRIGO QUEIROZ

HISTÓRIA DA UMBANDA

AGORA que você já compreendeu os fundamentos de boa parte dos rituais e preceitos que vivemos dentro e fora do terreiro, vamos adentrar outro aspecto muito importante para a construção do entendimento sobre a religião: a história da Umbanda. Dessa maneira, caro(a) leitor(a), espero que você que está tendo os primeiros contatos com a religião ou você que já conhece esse solo sagrado como a palma das mãos possa se conectar com momentos que aconteceram há mais de cem anos, mas que têm muita influência no que vivemos hoje. Quem não sabe a origem de sua religião não entende o momento presente e não conseguirá preparar um futuro. A Umbanda é marcada por muitas hipóteses de surgimento; em seu processo histórico, reconhecemos alguns marcos, como o que prosperou entre Rio de Janeiro e São Paulo, que é a manifestação do Caboclo das Sete Encruzilhadas em seu médium Zélio Fernandino de Moraes. No entanto, há outras propostas, como a Umbanda Omolocô de Tata Tancredo, e, mesmo quando reconhecemos as manifestações de Caboclos, Pretos-velhos, Exus e Pombagiras em muitas outras regiões do país, em variados terreiros de matriz africana, percebemos, antropologicamente, que a Umbanda não tem um início específico, mas que é o resultado de muitas conexões religiosas em solo brasileiro.

É importante desde já, querido(a) leitor(a), que você saiba que esse é um assunto sensível na religião e ainda está em construção de entendimentos, de maneira que cada vertente tem sua versão como absoluta.

De maneira resumida, a história do surgimento da Umbanda pensada a partir de Zélio de Moraes é assim:

No dia 15 de novembro de 1908, o Caboclo das Sete Encruzilhadas se manifesta pela primeira vez em Zélio Fernandino de Moraes, na recém-fundada Federação Espírita de Niterói.

De fato, esse acontecimento marcou o início de organização da nossa religião. Entretanto, para que se compreenda melhor esse ocorrido tão importante, vamos nos debruçar sobre o contexto histórico do Brasil no início do século 20 e entender que a Umbanda é resultado de alguns processos.

A MACUMBA DO RIO DE JANEIRO

Desde o período escravocrata, o Candomblé já é praticado no Brasil. A religião começa nas senzalas, com as pessoas que foram retiradas à força dos seus países no continente africano, para servirem de mão de obra no Brasil. Ao longo dos anos, foram surgindo vertentes dessa religião afro-brasileira, e uma delas se popularizou nos morros cariocas no fim do século 19. Estamos falando da Macumba. Você pode estar se questionando sobre a palavra macumba ser algo pejorativo e usado para difamar as religiões de matrizes africanas, mas esse era o termo usado para designar o rito, aquele momento de reunião de pessoas para a manifestação dos espíritos.

Já no Candomblé encontravam-se o atabaque, os santos no altar, o louvor aos Orixás e a manifestação de espíritos que viveram e voltaram para se relacionar com as pessoas. Entretanto, quando esses espíritos se manifestavam, eles eram rechaçados porque acreditava-se que aquele não era lugar para essas Entidades. Com o tempo, as pessoas que os incorporavam se afastaram dessa religião e começaram a se reunir entre si, criando um novo ambiente de manifestações. Nesse novo sistema, as pessoas se juntavam, rezavam, cantavam e tocavam atabaques para chamar os espíritos. Os espíritos, por sua vez, se manifestavam para conversar, aconselhar, fazer magia e mironga para ajudar as pessoas. Era um ambiente sem a presença de ritos específicos. Os espíritos iam se manifestando e não tinha horário para terminar. Caboclos, parentes que já haviam desencarnado, Pretos-velhos, Mestres do Catimbó... são exemplos de espíritos que se manifestaram nos guetos do Rio de Janeiro. Essa é a Macumba. Podemos entender que esse novo formato de culto é a antessala da Umbanda, uma vez que se parece com a religião que vivenciamos hoje, mas ainda sem esse nome e organização de rituais. Agora que você já sabe sobre a Macumba Carioca, vou comentar um pouco mais sobre o Candomblé.

CANDOMBLÉ

Os acontecimentos tanto da Macumba como do Candomblé influenciaram o surgimento e a estruturação da Umbanda, e é indiscutível a sua contribuição para a formação da religião. O Candomblé é o resultado da diáspora dos Orixás, período em que os africanos são forçados a deixar os seus países de origem e são trazidos para a América pelos europeus. Eles são vendidos como mercadoria, perdem a sua liberdade, dignidade e história. Nos navios negreiros, os africanos escravizados cruzavam o Atlântico, trazendo "um pedaço" de seu país consigo: a sua crença e culto aos ancestrais. Essa era a única maneira de conseguir sobreviver à nova realidade de exploração, castigos e chibatadas.

Nas tribos da África, assim como em todos os povos, existiam muitos conflitos por razões diversas: busca pelo poder, conquista territorial, entre outros. Além disso, cada região possuía o seu culto de nação e divindades próprias. Existem a tribo de Ogum, a tribo de Oxóssi, a tribo de Xangô, por exemplo, e elas não se misturam.

Ao chegarem a países da América, como o Brasil, africanos de tribos diferentes são obrigados a conviver nas senzalas. Nessa nova e difícil realidade, eles tiveram de superar suas diferenças históricas e passar a conviver em harmonia. O inimigo em comum uniu essas pessoas de diferentes tribos que não falavam o mesmo dialeto e cultuavam ancestrais diferentes. Mesmo com todas essas diferenças, eles sabiam que precisavam que os seus Orixás "viessem" para essa nova terra. E, juntos, cada um com "seu Deus", conseguem realizar esse processo de transposição dos Orixás. Entretanto, assim como todos os costumes dos africanos, a religião também era proibida pelos seus senhores. Eles eram catequizados e doutrinados pela Igreja Católica.

Quando a diáspora dos Orixás acontece, esses africanos arrumam uma maneira de esconder os seus cultos. Para isso, passam a associar os seus Orixás aos santos católicos pelas semelhanças nas suas histórias de vida ou pelo que eles representavam. Dessa forma, quando os seus senhores vissem os cultos, não desconfiariam da presença dos Orixás. E, assim, surge o que conhecemos por sincretismo religioso[15]. Por isso hoje há tantos movimentos que rechaçam o sincretismo dentro dos Ilês de Candomblé e na Umbanda.

Tudo isso que descrevi bem suscintamente é o que chamamos de Candomblé, uma religião que tem como objetivo resgatar a tradição original que acontecia no continente africano. Por isso, podemos dizer que o Candomblé é uma religião afro-brasileira. A sua matriz e os fundamentos são originários da África, enquanto o novo formato de culto surge devido ao contexto vivido no território brasileiro. Na prática, isso quer dizer que tudo o que vai acontecer nessa nova religião remete à tradição do culto africano. Ou seja, existem o culto dos Orixás, as conversas com o Oráculo, mas a incorporação dos espíritos humanos não acontece originalmente.

Esses espíritos humanos são denominados Egun, um espírito vagante que não foi para o Orun, o "céu" para os candomblecistas, se assim podemos associar. Quando um Egun se manifesta nos barracões de

---

15. Sincretismo religioso: uma tentativa de fundir santos católicos a Orixás, mas isso nunca ocorreu de fato e é um equívoco ainda muito propagado no país. Orixá não é santo católico; num processo de iniciação, você não verá alguém sendo iniciado em Santa Bárbara, por exemplo. Logo, o correto é dizer "correlação".

Candomblé (aqui me refiro ao culto mais ortodoxo), ele é retirado. Por isso, os iniciados na religião costumam andar com o Contra-Egun no tornozelo ou no braço, um amuleto feito com palhas da costa e búzio que afasta os espíritos ruins.

Importante frisar que, pelo propósito simplificado deste livro, aqui fiz uma abordagem bem generalizada sobre o Candomblé, sem me preocupar com citações de períodos históricos, casas matrizes, várias vertentes etc.

ESPIRITISMO

Outro segmento que também contribuiu para a construção da nossa religião foi o Espiritismo ou, popularmente falando, o "Kardecismo". Ainda na década de 1900, o Espiritismo era francês e muito ortodoxo. Nesse período, Chico Xavier ainda não havia transformado a perspectiva da prática do Espiritismo no Brasil. Na prática, as regras da doutrina eram europeias, não era qualquer espírito que podia ir à mesa. Os critérios para um espírito se manifestar no centro espírita eram elevados. Eles precisavam ter diploma, falar diversas línguas, ter uma história humana incrível e famosa.

Consequentemente, escravizados, indígenas, periféricos, sertanejos, baianos e outras linhas de Entidades nada tinham para acrescentar a esse ambiente, de acordo com os espíritas da época. Por isso, eles eram expulsos assim que incorporavam, não tinham a oportunidade de conversar e ajudar as pessoas. É importante ressaltar o período do qual estamos falando, quando o Espiritismo não tinha essa aura de amor, caridade e acolhimento. A religião estava ligada a Allan Kardec. Mesmo assim, a interpretação e classificação da mediunidade e fenômenos correlatos influenciam a forma como entendemos a manifestação dos espíritos nos terreiros.

O próprio termo **Mediunidade** para classificar o estado de transe com comunicação de espíritos é cunhado por Allan Kardec e vira o termo definitivo para o tema em todo o mundo. Kardec, por meio do seu pentateuco (cinco livros-base da doutrina), estabelece o alicerce, os fundamentos e os conceitos do Espiritismo que a Umbanda absorverá como fonte também, muito embora, na atualidade, isso precise ser revisto, para um entendimento mais genuíno da temática.

FAMOSO 15 DE NOVEMBRO

No Brasil, o dia 15 de novembro é lembrado pelo feriado nacional da Proclamação da República. Mas, para o umbandista, esse dia tem algo a mais. É o dia em que comemoramos um marco importante para a religião: a primeira vez que o Caboclo das Sete Encruzilhadas se manifestou em Zélio Fernandino de Moraes.

> "BOTAREI NO CUME DE CADA MONTANHA QUE CIRCULA NEVES UMA TROMBETA TOCANDO, ANUNCIANDO A PRESENÇA DE UMA TENDA ESPÍRITA ONDE O PRETO E O CABOCLO POSSAM TRABALHAR."
>
> – CABOCLO DAS SETE ENCRUZILHADAS

Era 1908 quando o Caboclo das Sete Encruzilhadas anunciou o que, mais tarde, iria se chamar de religião Umbanda. Mas foi só em 2012 que essa data foi reconhecida pelo governo brasileiro. A Presidenta Dilma Rousseff sancionou a Lei nº 12.644, em 16 de maio de 2012, que oficializa o dia 15 de novembro como Dia Nacional da Umbanda no Brasil.

Não conseguimos saber com precisão a data do surgimento da Umbanda. Sabemos que a Umbanda é a consequência de muitos cruzamentos e entrecruzamentos místicos no Brasil, no entanto, por muito tempo, a história de Zélio foi considerada o surgimento da religião para diversas vertentes. Não há como negar que o dia 15 de novembro foi muito importante para a Umbanda. E é nesse acontecimento que vamos mergulhar nas próximas páginas.

A cidade era Niterói, conhecida como Cidade Sorriso. O ano? 1908. Um garoto de dezessete anos, vindo de uma família muito religiosa e extremamente católica, começou a experienciar fenômenos estranhos e repentinos. Seu nome? Zélio Fernandino de Moraes. Em alguns momentos, ele parecia um velhinho, em outros assemelhava-se a um jovem forte, determinado e aguerrido. Teve, ainda, episódios de paralisia no corpo e falas incompreensíveis. Zélio já havia sido levado para o hospício, para a benzedeira, foi exorcizado, mas nada resolveu o seu problema. Foi então que a vizinha, uma amiga da sua mãe, sugeriu que ele fosse levado a um centro espírita. Mesmo resistente e com medo de se envolver com uma religião diferente da sua, Leonor de Moraes decidiu levar o filho à Federação Espírita de Niterói. No dia 15 de novembro, a mãe de Zélio o levou ao centro espírita. Chegando lá, ela explicou as experiências que o filho estava vivendo para o presidente da Federação, que os convidou a se sentar à mesa para a sessão. Para que você entenda melhor como tudo aconteceu, é preciso explicar a dinâmica dessas reuniões. Nesse contexto, é comum que haja clarividentes, clariaudientes e incorporantes para legitimar as comunicações que acontecem ali. Na prática, quando uma psicografia começava, o clarividente certificava-se de que realmente havia um espírito escrevendo. Ou, quando havia a manifestação de um espírito, o clariaudiente tinha a função de ouvir o que o espírito estava falando.

Em relação à estrutura, em cima da mesa havia uma jarra com água para fluidificar e se transformar em remédio balsâmico para o espírito. Dito isso, podemos voltar à nossa história.

Logo no início da reunião, Zélio quebrou o protocolo ao se levantar e dizer "Aqui falta uma flor". Ele então se dirigiu ao jardim, retornou com uma rosa branca, colocou-a em cima da mesa e se sentou novamente. Zélio foi repreendido por essa atitude, e a sessão prosseguiu normalmente. Primeiro foi feita a leitura do evangelho, depois as discussões doutrinárias e, por fim, começaram as incorporações.

Ao abrir para as manifestações, os médiuns da casa começaram a incorporar Pretos-velhos e índios. O condutor da reunião tentou em vão expulsar esses guias, alegando, como já falamos anteriormente, que eles não eram bem-vindos. Até que o próprio Zélio levantou-se, transfigurado, e questionou por que esses espíritos não poderiam falar naquele lugar. O clarividente enxergou o espírito através do garoto e logo alguém perguntou quem estava se pronunciando. Como resposta, todos do Centro Espírita ouviram:

"SE É PARA QUE EU TENHA UM NOME, DIGO QUE MEU NOME É CABOCLO DAS SETE ENCRUZILHADAS, PORQUE PARA MIM NÃO HAVERÁ CAMINHOS FECHADOS. EU VIM TRAZER UMA NOVA RELIGIÃO, QUE VAI ACALMAR E ACOLHER AS FAMÍLIAS PARA OS PRÓXIMOS SÉCULOS."

Quando questionado pelo clarividente sobre as vestes clericais que usava, o Caboclo respondeu que aquelas roupas eram vestígios de sua última vida. De quando ele foi o Frei Gabriel Malagrida, morto pela inquisição por ter previsto o terremoto que destruiu Lisboa em 1755 e pelo seu envolvimento em defesa dos indígenas no Brasil. Para finalizar, o Caboclo das Sete Encruzilhadas anunciou que daria início, no dia seguinte, a uma nova religião na casa do seu médium Zélio Fernandino, às oito horas da noite. Essa nova religião seria um ambiente em que esses espíritos bondosos que tinham o desejo de ajudar e consolar as pessoas pudessem se manifestar e cumprir o seu propósito.

No dia 16 de novembro, a porta da casa da família Moraes estava cheia de pessoas. E, pontualmente, às oito horas, o corpo de Zélio chacoalhou, e o Caboclo das Sete Encruzilhadas se manifestou, dando início aos atendimentos. Naquele dia, coisas incríveis aconteceram. As pessoas que chegaram em cadeiras de rodas saíram andando, as que estavam com algum tipo de demência ou perturbação saíram recuperadas, entre muitas outras coisas.

Depois que o Caboclo das Sete Encruzilhadas provou a eficiência da manifestação mediúnica fora do ambiente espírita, ele desincorporou. Chegou, então, arqueado, Pai Antônio, um Preto-velho. Ele saiu da mesa e foi para o canto, mostrando toda a sua simplicidade. Quando questionado sobre o motivo dessa atitude, ele brincou que mesa é coisa de branco e de senhor. A única coisa que Pai Antônio queria era o seu cachimbo. E, graças a esse ocorrido, surgiu o ponto "Meu cachimbo tá no toco".

APONTE A CÂMERA DO SEU CELULAR PARA ESTE QR CODE PARA OUVIR O PONTO NO NOSSO SPOTIFY

https://umbandaead.com.br/livro/umbanda-para-iniciante/spotify-meu-cachimbo-ta-no-toco/

Na gira seguinte, Pai Antônio recebeu o seu cachimbo. Esse também foi um marco importante para a religião, a solicitação de dois elementos físicos, mágicos e religiosos, para o trabalho mediúnico dentro da Umbanda: o cachimbo e o tabaco. Essa é uma maneira resumida de contar esse ocorrido tão importante da trajetória de Zélio Fernandino de Moraes.

Agora que já falamos brevemente sobre a história da Umbanda e de outras religiões que contribuíram para a formação da nossa, podemos entender que a Umbanda é uma religião brasileira. A maior característica que define o Brasil é a miscigenação. Nós somos o resultado de misturas entre povos e nações de todo o mundo ao longo dos anos. Agregamos algumas culturas, nos somamos a outros costumes, criamos formas de entender o mundo ao nosso redor e assim construímos a identidade do nosso povo. E é assim que acontece com a Umbanda. Quando adentramos os terreiros e nos aprofundamos nos fundamentos, reconhecemos práticas de outras religiões, princípios novos, bem como costumes herdados das crendices populares. Além disso, a Umbanda traz em seu eixo a miscigenação espiritual. É possível conhecer diversas culturas que estão contextualizadas no Brasil e se manifestam nos terreiros, como as de indígenas, escravos, nordestinos e muitos outros.

"NESSA RELIGIÃO TODOS SERÃO BEM-VINDOS, TODOS SERÃO ACOLHIDOS, APRENDEREMOS COM QUEM SABE MAIS, ENSINAREMOS QUEM SABE MENOS E A NENHUM VIRAREMOS AS COSTAS."

Umbanda não é seita!

Certa vez, estava visitando um terreiro e encontrei um irmão que também era membro do terreiro do qual eu participava. Em um determinado momento, perguntei a ele há quanto tempo era umbandista, e ele comentou que fazia mais de trinta anos. Conversávamos, até que ele disparou algo que, de tão surpreendente, impactou-me até hoje: "Vou ao terreiro toda sexta-feira para descarregar e cumprir minha obrigação, mas sou católico e todo domingo comungo na missa. Afinal, a Umbanda não é religião, é uma seita!".

Fiquei chocado porque não podia esperar que aquele médium, um senhor que tinha por volta dos sessenta anos, sempre de uma postura firme e dedicada nas giras, pudesse supor que aquilo que ele vivia toda semana era uma obrigação, não uma relação de identidade, ancestralidade e fé.

Já ouvi muito dizerem que a Umbanda é uma seita. Umbanda é religião. Seita é todo segmento que surge e se mantém sendo um "protesto", faz-se contraditório a uma fonte de origem. Quando Lutero se revolta contra a Igreja Católica por conta das vendas de indulgências, ele rompe com a religião e cria um novo segmento. Assim nasce o Protestantismo luterano.

Tanto o movimento calvinista como o luterano eram, na verdade, seitas em sua origem. Podemos definir seita como um grupo pequeno de pessoas cuja prática provém de uma fonte original com a qual não concordam completamente e, por isso, modificam-na e lhe dão nova interpretação.

O problema é que, quando se fala seita, no imaginário popular vem uma ideia distorcida e demonizada, já que, para a religião predominante que cria essas categorizações, tudo que não comunga da convicção dela é obra do Diabo. Portanto, quando se comenta que algo é uma seita, imagina-se uma magia negativa cabulosa. Pessoas em roda com símbolos estranhos e sangue. Seita não é isso. Isso pode ser uma magia negativa, mas não é seita.

Seita são fragmentos de uma religião primeira e maior, em um novo segmento, com alguns detalhes da crença transformados. Tudo que começa como seita, ao desenvolver e incorporar muitos fiéis, torna-se religião no futuro. Especificamente hoje, no Brasil, temos legislação que reconhece facilmente a qualquer grupo de fé instituir suas práticas como religião. Hoje, o Protestantismo é religião, mas surgiu como seita. O que importa aqui é que a Umbanda não é contradição de nenhuma outra crença religiosa, não surge em dissidência de nenhuma outra religião. Consolida-se genuinamente como religião e se estrutura dessa forma. Fiz esse breve comentário sobre essa ideia porque é muito provável que você ouça isso de pessoas da sua família que tentam deslegitimar a religião.

ENCRUZILHAMENTOS

Antes de encerrarmos este capítulo, e por todo o exposto até aqui neste breve comentário sobre as influências no surgimento da Umbanda, quero refletir com você sobre as nuances de influências da religião.

Afirmar que a Umbanda surge da mística indígena está quase certo e meio errado; dizer que vem do Candomblé também está um pouco certo e bastante errado; que vem do Espiritismo também certo e errado. Ou seja, errado é tentar enquadrar possíveis origens definitivas, e isso é bem típico de uma necessidade eurocentrada de sistematizar e encaixotar tudo. Contudo, reconhecer elementos de múltiplas influências é bem certo.

Ao nos debruçarmos de modo disposto no campo de estudo antropológico da Umbanda, encontraremos muitas hipóteses. Mas uma coisa é cada vez mais unânime para pesquisadores de toda parte: somente o Brasil poderia produzir um sistema religioso tão inclusivo e multi-identitário. A religião de Umbanda é o resultado atual dos encontros das encruzilhadas da fé no solo brasileiro em sua formação. Os indígenas com os europeus catolicistas deram origem à Santidade, uma religião de transe indígena com procedimentos católicos. Vimos, na presença dos negros escravizados, o Calundu, uma religião também de transe e consulta muito próxima da que vemos hoje. Ainda assim, tivemos seus encruzilhamentos e reconfigurações — nessas conexões surgiram o Catimbó, também os muitos Candomblés, mais tarde a Macumba, depois o Espiritismo de Umbanda e, hoje, a Umbanda, com uma paleta gigantesca de nuances que denominamos vertentes ou simplesmente personalidades. Por isso, é sempre complicado falar de Umbanda em nome da Umbanda. Ao falar ou ouvir sobre Umbanda, faz-se necessário descobrir quem

A RELIGIÃO DE UMBANDA É O RESULTADO ATUAL DOS ENCONTROS DAS ENCRUZILHADAS DA FÉ NO SOLO BRASILEIRO EM SUA FORMAÇÃO

fala e de que ângulo fala, qual sua origem, influência e caminho. A Umbanda é legitimamente uma religião, brasileira por origem e essência, plural por natureza e detentora de uma beleza extraordinária, por encantar ao ser corretamente compreendida no plural. Sempre que quiser saber da religião, entenda que ela é, em si, Umbandas.

CONVIDO VOCÊ A ATIVAR ESTE QR CODE PARA ASSISTIR A UM VÍDEO QUE PREPAREI SOBRE ESSA PERSPECTIVA MAIS APROFUNDADA

https://umbandaead.com.br/livro/umbanda-para-iniciante/ponto-riscado/

Agora, estamos prontos para nos debruçarmos sobre o fundamento das sete linhas e dos Orixás na Umbanda.

A UMBANDA É LEGITIMAMENTE UMA RELIGIÃO, BRASILEIRA POR ORIGEM E ESSÊNCIA, PLURAL POR NATUREZA E DETENTORA DE UMA BELEZA EXTRAORDINÁRIA, POR ENCANTAR AO SER CORRETAMENTE COMPREENDIDA NO PLURAL

UMBANDA PARA INICIANTES

RODRIGO QUEIROZ

LINHAS DE TRABALHO NA UMBANDA

ESSE é o termo para definir os campos específicos de atuação dos guias de Umbanda. Imagine que existam centenas de milhares de espíritos desencarnados que caminham em sua trajetória evolutiva. Estar encarnado é um privilégio, porque a maioria das almas humanas vive no plano espiritual. Nesse lugar que não é físico e sobre o qual tudo o que temos são ideias de como seja, existem espíritos de diversas formas. Assim como somos nós. No meio de tantos, temos as nossas Entidades. Cada uma dessas Entidades está caminhando em um grau evolutivo. Esse grau é definido basicamente pelo nível de consciência que esse ser alcançou.

Dizemos que Jesus é um mestre ascensionado e está no maior desses graus, por isso, é entendido, na maioria das vezes, como o próprio Deus. Nosso caminho evolutivo é sair da força criadora e retornar a ela. Um fluxo contínuo de inícios e recomeços ao longo das eras. Mas vamos voltar ao assunto que nos interessa!

As linhas de trabalho estão divididas nesses graus. Preto-velho é uma linha de trabalho, ou seja, um grau evolutivo, e nessa "classe" se alocam milhares de espíritos. Esses graus, por sua vez, são divididos em falanges. Estas são conhecidas por nós como os nomes das Entidades que citei no capítulo anterior.

Vamos simplificar:

Preto-velho	Linha de trabalho ou grau evolutivo
Pai João de Angola	Falange ou agrupamento de espíritos com a mesma inclinação de trabalho espiritual

As características comuns de trabalho e magia, espiritualidade e fé vão definir esses agrupamentos, chamados de falanges. Daí o nome falangeiros de Oxóssi, falangeiros de Ogum e assim por diante. Gosto de exemplificar essa organização espiritual fazendo um paralelo com o Exército. No Exército Brasileiro, existem dezenas de batalhões, com missões específicas. Em terra, são divididos como: boinas azuis, boinas verdes, agulhas pretas, vermelhas e assim por diante. Ao olhar de longe, parecem todos iguais; assim, você vê vários Pretos-velhos incorporados, mas, ao chegar mais perto, percebe a distinção de cada um deles. As linhas de trabalho possuem uma regência de um Orixá. A força desse Orixá é que sustenta vibratoriamente esse grau e, portanto, os espíritos que estiverem nele. Os Caboclos, por exemplo, são sustentados por Oxóssi e, por isso, esses espíritos têm como missão potencializar e conscientizar sobre a relação do homem com a natureza, assim como estimular a busca dos seres por conhecimento e consciência. As falanges dão caminho específico a essa atuação. O Caboclo Sete Flechas que usei de exemplo anteriormente é uma falange de espíritos regidos por Oxóssi e Iansã, e isso justifica algumas de suas características. Embora ele possa tratar de várias questões, é natural dele trabalhar um processo de compreensão e doutrinação no caminho dos indivíduos. O Caboclo Sete Flechas direciona os indivíduos por uma percepção mais racional da vida. Ele é mais proseador, mas sempre muito categórico naquilo que está fazendo a pessoa entender e refletir. Interessante isso, não é?

Na linha de trabalho Caboclo, existem as falanges *Cobra Coral, Sete Flechas, Tupinambá, Ubirajara, Peito de Aço, Pena Branca, Pena Verde, Caboclo Bugre* e tantas outras que não dá nem para catalogar. Assim acontece com as demais linhas. Vou deixar abaixo uma tabela com as linhas de trabalho e os Orixás que as sustentam.

Linhas de trabalho	**Orixás**
Preto-velho	Obaluaiê
Caboclo	Oxóssi
Criança	Oxumaré e as Iabás
Baiano	Oxalá e Iansã
Boiadeiro	Logunã, Oro Iná e Ogum
Marinheiro	Iemanjá
Cigano	Oro Iná
Povos do Oriente	Oxalá, Nanã e Obaluaiê
Malandro	Oxalá, Logunã e Iansã
Exus	Orixá Exu
Exu Mirim	Orixá Exu
Pombagira	Orixá Pombagira
Pombagira Mirim	Orixá Pombagira

Nem todos os terreiros abrem espaço para a manifestação de todas essas linhas. É natural que aconteça uma gira anual com Ciganos, por exemplo. E cada casa também vai ter as linhas da rotina semanal, que são aquelas linhas-padrão do terreiro e que têm a ver com a afinidade daquelas pessoas e, principalmente, do sacerdote ou sacerdotisa que comanda os trabalhos. Há terreiro que, por exemplo, é regido por marinheiro, e ele se divide da seguinte forma: em uma semana trabalha com marinheiro, na outra trabalha com Caboclo e Preto-velho, e na outra com Exu, assim estabelece sua rotina. Eventualmente, encaixa nessas dinâmicas um culto para uma linha ou outra específica.

A Tenda Nossa Senhora da Piedade (TENSP), casa fundada por Pai Zélio de Moraes, não aceita a linha dos baianos; outros terreiros não aceitam o boiadeiro; outros, por incrível que pareça, não aceitam Exu. A Umbanda permite essa liberdade de que cada dirigente siga um padrão conveniente à sua comunidade. No entanto, de forma global, todos compreendem a expressão do arquétipo que elas manifestam dentro dos terreiros.

Preto-velho é ancião, aquele que está além da nossa compreensão e sabedoria. Pela idade avançada, tem uma visão de tempo diferente da nossa. É a pura expressão da paciência, da humildade, da resiliência, que é a sabedoria manifestada pelos anciões. O Caboclo é o símbolo da juventude. Expressa o jovem aguerrido e que está no ápice de sua força vital. Os Erês são a pureza daqueles que vêm de uma outra realidade, para trazer a nós a certeza em relação ao Sagrado — resgatam isso em nós. São a expressão da alegria e a desconstrução de uma realidade sisuda que a gente teima em manter em nossas vidas. Os Exus trazem para nós uma estrutura de consciência, de enfrentamento. Reconhecemos a fraqueza e a sombra humanas. A partir desse momento, buscamos o enfrentamento consciente desse contexto da dimensão humana. Cada linha de trabalho manifesta um arquétipo que carrega um propósito e define uma missão espiritual. Isso é sustentado pelo mistério dos Orixás, que vamos explicar no próximo capítulo.

A FÉ FAZ PARTE DA ESTRUTURA PSÍQUICA DO INDIVÍDUO QUE DÁ SENTIDO À CRENÇA

UMBANDA PARA INICIANTES

RODRIGO QUEIROZ

QUEM SÃO OS ORIXÁS

QUANDO começamos a nos relacionar com a espiritualidade umbandista, de imediato procuramos a figura de Deus. Quem é Deus na Umbanda? Acredita-se em um Deus ou em vários? Para iniciar nosso capítulo, vou esclarecer algo que para algumas pessoas pode parecer óbvio, mas para outras não: Orixá não é Entidade. É possível que você ouça alguém dizendo "Orixá Sete Flechas". É um erro semântico. Orixás são divindades. As Entidades são espíritos humanos desencarnados que estão em um grau evolutivo e trabalham na Umbanda, como expliquei anteriormente. A visão sobre o que é Orixá não é consensual. Para aqueles terreiros que possuem forte influência do Candomblé e cultos de nação, os Orixás são ancestrais africanos que, antes da diáspora, eram reconhecidos pela linhagem genética, lastro familiar de fato. Orixás foram muitas vezes reis e transcenderam, encantaram-se, virando deuses da natureza. São eles que estão retratados nos mitos iorubás e que vieram para o solo brasileiro por meio da diáspora africana. São considerados também manifestações da natureza. Existem terreiros de Umbanda que se relacionam com os Orixás dessa forma ou com muito disso. Não existem certo e errado. Existe o que você pratica. Trago nos meus estudos a definição de Orixás baseada na Umbanda Sagrada, que é a obra do Mestre Rubens Saraceni, transmitida por Pai Benedito de Aruanda. Nela, propõe-se que os Orixás são manifestações de Olorun[16]. Eles são em si Deus manifestado de diversas formas. Oxum é o amor, Ogum é a lei, Oxóssi é o conhecimento, e assim consideramos catorze Orixás. Para cada Orixá, há uma cor, um ponto da natureza, um planeta, um som, uma energia, uma erva, um poder realizador, e é assim que Deus, na sua onipotência, manifesta-se em diversas formas.

---

16. Olorun: ser supremo, chamado também de Olodumarê. Senhor do Orun ("céu", no culto iorubá).

Leitor(a), pare um pouco sua leitura e assista agora a esse vídeo, no qual essa explicação fica muito clara numa animação incrível do *Setenário sagrado* ou *Sete linhas de Umbanda*.

APONTE A CÂMERA DO SEU CELULAR PARA ESTE QR CODE E ACESSE O CONTEÚDO

https://umbandaead.com.br/livro/umbanda-para-iniciante/oferenda-tipica-de-umbanda/

As sete linhas de Umbanda são, portanto, os sete mistérios maiores de Deus, que se dividem, cada um, em dois Orixás, como vimos no vídeo. Nesse entendimento, temos a concepção dos sete sentidos de estímulos na estrutura do ser humano, que se dão por meio da psique, do corpo emocional, do corpo físico e do espírito, os quais denominamos da seguinte forma: Fé, Amor, Conhecimento, Justiça, Lei ou Ordem, Evolução e Criação. Neles nós temos os Tronos ou as Divindades Maiores: Trono Cristalino, Trono Mineral, Trono Vegetal, Trono Ígneo, Trono Eólico, Trono Telúrico e Trono Aquático. E então, em cada um, estão, respectivamente: Oxalá, Logunan, Oxum, Oxumaré, Oxóssi, Obá, Xangô, Oro Iná, Ogum, Iansã, Obaluaiê, Nanã Buroquê, Iemanjá e Omolu. São os catorze Orixás que se organizam em pares nas sete linhas de Umbanda. Ao longo da história da Umbanda, muitos autores e estudiosos explicam as sete linhas ao seu modo, fazendo suas próprias considerações sobre o que seria cada uma delas. Aqui, nós as entendemos como as irradiações de Deus, que são fragmentos da força criadora de tudo o que existe. Nelas, cabem os Orixás, as forças da natureza, as energias, as vibrações, as cores e tudo aquilo que já foi criado até agora. Mais à frente, entenderemos como essas características se manifestam em nossa vida por intermédio dos Orixás.

OXALÁ E LOGUNAN

O sentido da fé em nossas vidas. Essa é a primeira linha de Umbanda. A fé, enquanto sentido da vida nessas divindades, divide-se em duas formas: espiritualidade e religiosidade. A primeira é a busca natural de todo indivíduo em se conectar com a força criadora; já a segunda é o desejo de comungar por meio de ritos próprios e em uma comunidade organizada o seu caminho de fé.

Religião e espiritualidade

Há pessoas com espiritualidade e sem religião, assim como há religiosos sem espiritualidade. A fé faz parte da estrutura psíquica do indivíduo que dá sentido à crença. É a nossa forma de organizar psicológica e intelectualmente aquilo em que acreditamos. Desde questões mais ordinárias, por exemplo, dizer que "essa é a cor verde e aquela é a amarela" e não discutir mais sobre a verdade desse fato, até algo que transcende. Aquilo que é transcendental é a espiritualidade — tudo que está na entrelinha mais sutil da existência e além da matéria ou percepção dos sentidos.

Do outro lado, temos o que é litúrgico, ritual, processual, tudo que segue aquilo em que acreditamos e que se define como religiosidade.

Por que a fé é um sentido para a vida?

A fé é a forma que temos de nos conectar com Deus como a força viva da natureza presente em todos os seres e em todas as coisas. De forma palpável ou imaginativa, Deus é o alimento da alma. É como

MUITO PROVAVELMENTE, LEITOR(A), VOCÊ JÁ SE PERGUNTOU QUAL O PROPÓSITO DA SUA VIDA, QUAL O SENTIDO DA SUA EXISTÊNCIA, DE ONDE VEIO OU QUAL SEU REAL "PORQUÊ"

UMBANDA PARA INICIANTES

RODRIGO QUEIROZ

o sol para nosso espírito. Naturalmente, em algum momento da nossa trajetória precisamos nos apegar a algo absoluto que transcenda nossos sentidos. Mesmo ateus têm na ciência o seu "Deus".

O humano busca por natureza respostas cognitivas para a existência e, muitas vezes, precisa ter a crença em algo absoluto e perfeito. Seja a ciência ortodoxa ou o Deus mítico, metafísico e espiritual. Por isso, é muito comum, em dado momento de nossas vidas, sentirmos a agonia existencial. É como uma tristeza, uma ânsia por preencher aquilo que está vazio. Esses sentimentos procuram por respostas que justifiquem a nossa existência. Muito provavelmente, leitor(a), você já se perguntou qual o propósito da sua vida, qual o sentido da sua existência, de onde veio ou qual seu real "porquê".

Quando essa sensação impacta nossa alma e emoções, o indivíduo, mesmo dentro de uma religião, sente esse vazio profundo. Isso acontece porque é possível ser alguém religioso que ainda não se conectou com a sua espiritualidade. A religião pode ser o caminho e o elo entre nossas crenças e nossa espiritualidade, mas às vezes ela não tem esse papel. É aí que o indivíduo se perde no sentido de sua vida.

O vazio é a falta de resposta, e Deus é o preenchimento. O caminho de fé que estimula a espiritualidade e a une com a religiosidade é o que nós entendemos como mais saudável. A pessoa entendeu como se conectar, por meio daquilo em que ela acredita, com o sagrado. A busca pela fé da alma humana é sempre seu estímulo para que ela encontre seu sol. Esse é o mistério de Oxalá e Logunan, em que o primeiro é o amparador da espiritualidade dos seres e a segunda é a absorvedora de desvios em nome da fé.

Inevitavelmente, a fé está associada à religião. Ela não é o objeto da ciência, porque você não precisa de fé para constatar o óbvio, mas é da religião, porque precisamos de fé para crer em Deus ou naquilo que é intangível. Costumo comparar a busca do homem por Deus com a busca das plantas pelo sol. Sol é aquilo que alimenta a planta. Ao colocar um vaso de planta em um lugar escuro com uma fresta de luz, você perceberá que ela vai se retorcer em direção à luz solar. Essa força que dá sentido à existência, alimenta nossa alma e faz as coisas funcionarem melhor dentro de nós, fornecendo respostas para tudo, é Deus. A forma como nos conectamos com Ele é a fé. A fé, para nós, é a primeira âncora na caminhada espiritual dentro da Umbanda. As divindades que emanam esse mistério são Oxalá e Logunan.

EPA BABÁ OXALÁ,
OLHA O TEMPO LOGUNAN!

OXUM E OXUMARÉ

A segunda linha de Umbanda é aquilo que acredito ser a melhor definição de Deus — Olorum: o amor. Caro(a) leitor(a), estamos caminhando em nosso livro, e espero que esse seja um conteúdo diferente da maioria das obras que temos. Propositalmente, dedico-me a explicar cada uma das sete linhas e os Orixás, mirando no que essa irradiação significa na prática de nossas vidas. Ao final desta obra, vou saciar suas dúvidas mais técnicas, anexando um documento no qual estarão descritas, por exemplo, as pedras, cores, saudações, ervas etc. dos Orixás. Sei que esse conteúdo vai ser de grande valia para você, iniciante! Vamos lá. Ah, o amor!

Para nós, ele tem dois nomes: Oxum e Oxumaré, que se dividem, por sua vez, no próprio amor e na renovação. Amar e recomeçar, respectivamente. Enquanto Oxum estimula o amor, Oxumaré renova os sentimentos, propondo novas histórias. O homem possui quatro corpos: emocional, espiritual, mental e material. Nosso corpo emocional é sustentado pelo mistério de Mãe Oxum. Quando nossas emoções se desequilibram, gerando ódio, ira, raiva, trauma, decepção e frustração, é preciso renovar. Esse processo de se perdoar, pedir perdão e dar perdão é estimulado por Pai Oxumaré. Ele é, em si, as águas limpas que lavam nossa alma de sentimentos destrutivos. O amor para a Umbanda, assim como para qualquer percepção, é o mais sublime dos sentimentos.

Você pode não ter fé, mas viver em amor. Pode não ter conhecimento ou não ser intelectualmente desenvolvido, mas pode amar. Pode não ter um senso de justiça apurado e, mesmo assim, amar. Pode ser o indivíduo mais caótico e meio desfocado, mas amar sem limites. Pode não se preocupar em evoluir e transcender o seu comportamento e as suas limitações, mas pode amar. Pode nem se preocupar com a própria vida de fato ou nem ser um indivíduo muito criativo, mas, ainda assim, pode amar.

O amor é a maior expressão de Olorum. Deus, na Umbanda, é definido como amor, não como fé, conhecimento ou geração. Sugiro que Deus seja percebido pontualmente como a expressão máxima de amor. Não crer em pecado significa que estamos livres da ideia de um Deus que odeia, porque o pecado presume que Deus é irado e pode nos castigar. Se Deus é amor, não pode existir ira, não há espaço para esse sentimento. Isso é coisa do ente humano. O ser humano é limitado, imperfeito nas suas questões emocionais e, por isso, se for contrariado, pode ficar muito irado. Pode até castigar quem for subordinado a ele. Castiga um filho supostamente por amor. Mas Deus não é humano. Deus é amor na dimensão da divindade. Na soberania desse sentimento. É o que nós não conseguimos imaginar.

Eu, que sou um ser limitado, quando penso em meus filhos, imagino o amor de Deus. Sou capaz de amar de forma visceral alguns seres. Esse sentimento que dedico a eles é algo que sou incapaz de dar para qualquer outro indivíduo. É por isso que movimento minha vida.

Assim como tudo provém de Deus, o amor que Dele provém é absoluto. Essa força criadora que ama absolutamente é incapaz de viver a ira ao ser "contrariada". Deus não seria capaz de criar regras engessadas para Sua criação e ordenar que fora delas o indivíduo estaria condenado. Isso não pode vir de Deus. Nosso livre-arbítrio é a maior prova desse amor sem julgamentos. Somos livres para o que bem entendermos. Se isso me trouxer desarranjos, desacordos, desarmonia, é algo com que devo conviver. No entanto, não significa que Deus se afete com isso. Deus está presente em mim e sabe de tudo que eu possa sentir e pensar. Ele me conhece mais do que eu mesmo. Pode esperar aquilo de que nem sei que sou capaz. Por isso, não há frustração.

Ao pensar sobre a noção de amor na dimensão humana, a busca deve ser por esse amor divino. Ao amar alguém, ame baseado no amor de Deus. Seja capaz de perdoar, de renovar e de entender. O amor é tudo aquilo que harmoniza; é a mais potente força dentro da vida humana. A misericórdia, a resiliência, o perdão são atos de amor. Esse amor sublime não exige nada, ele apenas é. A caridade tão preconizada dentro da Umbanda se dá por meio do atendimento das Entidades. Esse é um ato de amor humanitário, e é isso que deve ser sempre compreendido. Oxum e Oxumarê são, em si, essa preciosa irradiação de Olorum.

ORA, IÊ, IÊ, Ô, OXUM,
ARROBOBOI OXUMARÉ

OXÓSSI E OBÁ

Conhecimento é a terceira linha de Umbanda e aquela que alimenta nosso corpo mental. Vindo de Deus, é o estímulo de intelectualidade e racionalidade dos seres e é irradiado por esse Trono. Oxóssi traz virtudes, como curiosidade, atitudes visionárias e a busca constante por novos saberes. Obá é o foco, a concentração, e propulsiona nos indivíduos a noção de que é realmente importante se dedicar. Permita-me um paralelo: a formação acadêmica básica que se estende até o ensino médio é o estudo de várias ciências sem se aprofundar em nenhuma. Esse é o conhecimento típico do magnetismo de Oxóssi. É aquele que vai à frente, descobrindo tudo aquilo que existe. Quando vamos para a universidade, estamos nos dedicando a um conhecimento específico; essa maturidade para saber qual o nosso propósito e firmar a decisão nessa escolha é mistério de Mãe Obá. Oxóssi é desbravador, e Obá é o pé no chão, duas faces do mesmo mistério de Deus: o conhecimento.

Obá é a força que nos conecta ao caminho correto e vocacionado, para desenvolver racionalidade e capacidade profissional. Essa força se desdobra em inúmeras escolhas de nossa vida. Um bom exemplo é o curso de medicina. Ao se formar médico(a), você terá de optar por uma especialidade à qual irá se dedicar. Isso também é o mistério de Mãe Obá em nossa vida prática.

Oxóssi é a busca constante de nosso corpo mental por excelência. Obá é o afunilamento. Se fôssemos desenhar Oxóssi, ele seria os galhos e as folhas da árvore, já Obá seria o tronco e a raiz. Seu fator é o alimento daquela expansão da árvore que são os galhos, as folhas e os frutos. Um complementando o outro.

O conhecimento enquanto sentido de vida deve ser entendido como a racionalidade que reside em nosso intelecto. Virão dele nossa sustentação e nossa definição de seres racionais.

A racionalidade é algo pertinente ao ser humano. Necessitamos dessa capacidade para o desenvolvimento da humanidade. Esse é o axé desses Orixás, e o que temos por dever é honrá-los. É uma pena que nem sempre isso aconteça. Um grande químico tem profundo conhecimento dos elementos químicos e pode desenvolver uma bomba para destruir a humanidade. A bomba atômica, que deveria ser um gerador de energia atômica, tornou-se uma arma tenebrosa para a humanidade. O mesmo se dá com alguém que desenvolve novas drogas que criam dependências. Faz uso da sua racionalidade para enriquecer ilicitamente traficantes. Alimenta um submundo que enriquece alguns e mata milhares. Qual a contribuição que o seu conhecimento científico traz para a humanidade?

O mau uso causa um prejuízo humanitário terrível. Temos muito o que melhorar na humanidade nesse ponto. Precisamos nos preocupar com duas questões básicas: o ser intelectual e sua condição humana. Você honra sua encarnação e o fato de ser um indivíduo racional?

Ao se dispor a ler este livro, você está contribuindo para o seu corpo mental, está se desenvolvendo intelectualmente no campo da fé. Assim precisa ser em todas as áreas da sua vida: buscar alimentar-se sempre de bons conhecimentos e saberes diversos da humanidade, mantendo sua mente aberta e disposta a reflexões. A mente fechada é a daquele indivíduo que já se limitou em alguns parâmetros. Infelizmente, alguns caminhos religiosos estimulam o atrofiamento do raciocínio humano. A convicção em dogmas e crendices paralisa a capacidade de nos mantermos expansivos. A mente aberta reluta sempre contra preconceitos. Não aceita nutrir um "pré-conceito" sobre algo, justamente porque entende que essa limitação não permite o raciocínio próprio. Ao nos limitarmos, nós nos tornamos incapazes de interagir com qualquer assunto de forma livre, tranquila e sem tabu. Estamos sempre presos a algo que foi imposto. O conhecimento como sentido da vida é, na verdade, o caminho do corpo mental, que é o que somos originalmente, seres mentais. Precisamos expandir cada vez mais nossa consciência, para vivermos em conformidade com o que somos: seres racionais.

OKÊ ARÔ OXÓSSI,

AKIRÔ OBÁ YÊ!

XANGÔ E EGUNITÁ

As linhas de Umbanda também são tratadas como os sentidos da vida. Na Umbanda Sagrada, o quarto sentido da vida é a justiça. Esse mistério está na dimensão do ser humano, que é sua capacidade de ponderar, refletir e concluir o ponto de equilíbrio das coisas. Entretanto, ela pode ser muito subjetiva e particular, está enraizada nas crenças de cada indivíduo. Jesus era um indivíduo fora do seu tempo. Sua percepção de justiça era completamente dissociada dos valores e dos costumes morais da época. Um exemplo desses ideais está retratado na passagem bíblica em que Jesus é interrompido por um fato que acontece na sua frente.

Homens correndo atrás de uma mulher supostamente adúltera para apedrejá-la. Essa era a sentença "justa" para a mulher adúltera naquele contexto. Obviamente, em uma sociedade violentamente machista, essa sentença não se aplicava também ao homem adúltero.

O castigo da mulher adúltera era o apedrejamento até a morte. Jesus, vendo essa situação, interveio, propondo uma reflexão com as pessoas que já estava com as pedras em punho e prontas para fazer "justiça". Lança, então, um questionamento: "Quem não tem pecado que atire a primeira pedra". Parece uma frase simples, mas esse silogismo fez com que todos ali largassem as pedras. Sua mensagem, embora óbvia, é um marco na vida de todos nós e um grande ensinamento. Se sou um pecador e estou suscetível a erros ao longo da minha vida, não posso julgar o outro pelas suas falhas. Embora esse não seja um erro que nós possamos cometer, cada um carrega suas falhas, e não cabe a ninguém julgar.

O fato é que, antes de nos tornarmos seres mais propensos a acertar, erramos muito. Vamos transformar a palavra erro em pecado só para fazermos um paralelo. Então, pecamos muito mais do que honramos Deus e os Orixás. Isso faz parte da condição humana. Estamos aqui encarnados justamente para errar e aprender com esses erros. Não somos anjos nem pretendemos ser. Não somos perfeitos nem devemos buscar a perfeição. A busca deve mirar sempre o aperfeiçoamento e a superasção. Não criemos regras morais em que nós mesmos possamos ser os próximos vitimados. Leitor(a), entende a importância da noção de justiça?

É esse sentido da vida que lhe dará condições de ser um indivíduo mais ou menos equilibrado. São os sensos de justiça social, comportamental, religiosa, espiritual que nos trazem estabilidade. Às vezes, o indivíduo está tão preso a convicções egoístas, que é incapaz de compreender a limitação do outro. A dificuldade de perdoar a ofensa recebida, por exemplo, reside justamente na dificuldade do outro de entender que o indivíduo pode errar e frustrá-lo. Isso porque não aceita que o pior foi ele ter alimentado tamanha expectativa em que o indivíduo foi capaz de frustrá-lo. O equilíbrio não é simplesmente andar na linha de forma balanceada, mas manter o eixo da sua razão e das suas emoções em harmonia. Que, independentemente das contrariedades e dificuldades, você consiga pontuar o que é realmente relevante e importante. Xangô é o Orixá que estimula em nós a busca pelo equilíbrio.

Mãe Egunitá ou Oro Iná é a divindade que absorve com seu fogo divino os desequilíbrios daqueles que caminham na fomentação da injustiça. É também essa Mãe Orixá que estimula um caminho justo de comportamento equilibrado.

A reflexão desse mistério divino da justiça tem a ver com sua capacidade de equilibrar os polos. De todas as situações da sua vida, você mais dá sentenças ou harmoniza as partes? No final, tudo é aprendizado, e o que cabe a nós é viver em equilíbrio com nossa verdade.

KAÔ KABECILÊ XANGÔ,
KALYÊ EGUNITÁ!

OGUM E IANSÃ

Por trás das sete linhas de Umbanda estão as manifestações dos Orixás em nossas vidas de forma prática. Os Orixás residem em nossas vidas por meio de suas emanações. Na Umbanda, temos tudo de que precisamos. Fala-se muito sobre reforma íntima e filosofia da religião. E qual é a filosofia da Umbanda? É isso que me propus a trazer nestes capítulos sobre os divinos Orixás. Entenda os Orixás por suas influências em nossas vidas e, então, você poderá tê-los em sua vida de forma prática, que não é fazer oferenda ou acender vela.

Quando você acende vela para Pai Ogum, você precisa entender o que está ativando. Não é um guer-

OGUM É A FORÇA DA CORAGEM PARA RETOMAR O CAMINHO. SE A SUA VIDA ESTAGNOU, ENTÃO É DOS VENTOS DE MÃE IANSÃ QUE VOCÊ PRECISA DE AMPARO

UMBANDA PARA INICIANTES

RODRIGO QUEIROZ

reiro que vem e quebra tudo no peito. É a irradiação ordenadora de Olorum. Se a vida porventura estiver caótica, bata cabeça e diga:

"PATAKORÊ OGUM,
EU CLAMO SUA MANIFESTAÇÃO,
PEÇO PELA SUA PRESENÇA. QUE VÓS ATUEIS EM MINHA VIDA AGORA, POIS, DO JEITO QUE ESTÁ, NÃO ENTENDO COMO AS COISAS ESTÃO ACONTECENDO. ESTÃO FORA DO MEU CONTROLE, PERDI A CAPACIDADE DE COMPREENDER. NÃO CONSIGO ENTENDER O QUE ESTÁ POR TRÁS DISSO. PAI OGUM, MINHA VIDA ESTÁ UM CAOS, E ESTOU TEMEROSO, COM MEDO DA MINHA VIDA, TENHO MEDO DE NO QUE VAI DAR. JÁ PERDI A CORAGEM, JÁ PERDI AS FORÇAS. ENTÃO, QUERO QUE ABRA MEUS CAMINHOS, QUERO QUE ME AJUDE."

O que é essa ajuda de Ogum? Ao acender a vela para Pai Ogum, nós nos conectamos com a irradiação divina da lei. Nela, existem duas divindades sustentadoras: Pai Ogum e Mãe Iansã. Ele é o ordenador e traz para nossas vidas a virtude da retidão. Se sua vida está caótica, é porque, em algum momento, você perdeu o foco e a direção do seu objetivo. Ogum é a força da coragem para retomar o caminho. Se a sua vida estagnou, então é dos ventos de Mãe Iansã que você precisa de amparo. Ela se manifesta pela linha da lei, irradiando movimento e apontando a direção.

Pai Ogum traz a força interna, não vai fazer por você, mas vai irradiá-lo, enchendo sua consciência e seu coração de coragem para agir. Ogum se manifesta na ação daquele que põe o peito e vai adiante. É quando enfrentamos a situação, apesar do medo. Esse é o significado de abrir caminhos com Ogum. É a força que lhe mostra a luz no fim do túnel. Não é a ideia de que o Orixá vai lhe dar a vaga de emprego dos sonhos, sem que você tenha ao menos entregado seu currículo ou se aperfeiçoado para conquistá-la. Isso é fantasia ou enganação orquestrada de quem dissemina essa informação. Busque conhecimento naquilo que lhe dá prazer e aperfeiçoe a técnica. Se você une sua habilidade com um conhecimento técnico refinado, só resta uma certeza: você é capaz. Essa é a definição de coragem e é a irradiação de Pai Ogum agindo na sua vida.

PATAKORÊ OGUM, OGUNHÊ!

EPARREI IANSÃ!

OBALUAYÊ E NANÃ BURUQUÊ

A irradiação divina da Evolução que se expande e materializa na cor violeta é composta por Obaluayê, que é, em si, o estímulo à evolução. Nanã Buruquê é responsável por decantar os processos que impedem os seres de evoluir. Ambos carregam o arquétipo do ancião. Esse é o estágio da vida humana em que não temos mais ímpetos inconsequentes, e a curiosidade jovial dá lugar à maturidade. O jovem mais resistente a ouvir a voz da sabedoria tem a necessidade de experimentar o que o outro já conhece, para depois validar aquele conhecimento. Raros jovens dão ouvidos ao que os mais velhos têm a dizer para melhorar suas ações, sem precisar cometer os mesmos erros. Evolução é um processo, e nele está implícita a transcendência.

Em algumas doutrinas, como o Espiritismo, presumem-se regras básicas que supostamente garantem a evolução do indivíduo. Para esse segmento, o caridoso é também o ser evoluído. No Cristianismo, não há crença na evolução, mas sim na salvação, que se dá por meio da caridade. Em ambos, a caridade é um caminho que garante luz e um saldo positivo a essa pessoa.

A EVOLUÇÃO É O MOTIVO DA EXISTÊNCIA DA ALMA HUMANA. O ESPÍRITO BUSCA POR SUA AUTOILUMINAÇÃO

UMBANDA PARA INICIANTES

RODRIGO QUEIROZ

Mas e quando as pessoas precisam pagar para aliviar a consciência e se utilizam da caridade para isso?

Evolução é um dos temas mais difíceis de abordar no meio religioso. Em uma perspectiva filosófica, esse é um processo muito lento e não possui nenhuma receita a seguir. Ações éticas e de generosidade não garantem evolução, uma vez que deveriam ser apenas a obrigação de todos. Ser bom não é virtude, é andar em conformidade com a natureza humana. O ser humano é naturalmente bom. Buscamos por paz, e ela reside na bondade. Com isso, o que de fato significa evoluir?

Evoluímos quando mudamos profundamente algo que não é bom em nós. Vou fazer um paralelo com a regência hereditária dos Orixás sob a qual cada um de nós nasce, o que popularmente denominamos "filho de Orixá". Temos um Orixá ancestral que vai nos doar algumas características por toda a eternidade. Por isso também, ele determina alguns traços da sua personalidade. E então temos o Orixá que assume a frente, ou seja, influencia seu campo racional. Esse Orixá muda em cada reencarnação, e sua personalidade também agrega algumas características dessa divindade. Por fim, temos o Orixá adjunto, que está mais ligado ao seu corpo emocional.

Supondo que o Orixá de frente seja Oxóssi e o adjunto seja Iemanjá, é comum que aquele que nasce com Oxóssi na frente trabalhe profissionalmente nos campos da doutrinação, do ensino e da comunicação. Por isso, serão professores, filósofos, jornalistas etc. É um indivíduo com inclinação para transmitir conhecimento e expandir a comunicação. Isso é característica de alguém que nasce com Oxóssi na frente. Iemanjá como adjunto traz uma pessoa com grandes reflexões sobre a existência e cuja capacidade criativa emocional é inigualável. Ao combinar com Oxóssi na frente, pode, por exemplo, ser um artista, um professor de arte ou biologia e assuntos correlatos.

Isso será desenvolvido ao longo da vida dessa pessoa e será nesses campos que ela enfrentará seus maiores desafios. Portanto, a evolução não pode ser marcada com regras. Não é isso ou aquilo que determina quem é evoluído, mas, sim, um conjunto da ópera ao longo de uma vida. Serão os diversos episódios peculiares da sua trajetória que vão definir se você está saindo dela melhor do que quando chegou.

A evolução é o motivo da existência da alma humana. O espírito busca por sua autoiluminação. Isso é milenar. A cada nova encarnação, é possível que consigamos evoluir, mas também é igualmente possível que soframos quedas profundas. Paute a sua vida no melhor de si e da experiência humana. Que você possa transcender a cada novo dia, tendo a certeza de que fez um pouco melhor do que ontem. Que, ao desencarnar, você deixe um legado, e esse seja um bom legado. Ao olhar para trás, perceba o quanto melhorou.

Grandes nomes da humanidade deixaram importantes legados, mas na intimidade há quem diga que eram terríveis. Abraham Lincoln, Steve Jobs e Madre Teresa de Calcutá são alguns desses nomes. Dizem também que essa é uma característica dos gênios. Risos. Quer dizer que os gênios não evoluem? Já são evoluídos? O que isso significa? Não se apegue a regras, mas mantenha uma reflexão constante: "Estou dando o meu melhor? Estou aprendendo a cada novo dia?". O que vai dizer se sua vida valeu a pena e se você evoluiu é o legado que você deixa. É nisso que devemos nos concentrar. A evolução é o primeiro e último motivo de existir. Pense sobre isso!

ATOTÔ OBALUAYÊ,

SALUBA NANÃ!

IEMANJÁ E OMOLU

Sétima e última linha de Umbanda: a irradiação aquática de Mãe Iemanjá e Pai Omolu. Iemanjá é a vida propriamente, é a geração e o ventre de Deus. Tudo que surge no universo se dá por intermédio de Iemanjá. Omolu, por sua vez, é a morte, o fim dos ciclos, responsável pelos encerramentos. Nessa irradiação divina, o que cabe aqui como filosofia e reflexão principal é a vida. A vida eterna e no plano terreno. Em qualquer uma delas, entendendo-as como o grande milagre.

Quando participei do parto da minha filha Sol, entendi a presença de Mãe Iemanjá. Confesso que ainda não tinha assimilado de fato esse valor religioso dentro dessa teologia filosófica. Naquele momento, já tinha meu primeiro filho, o Luã, e sentia que meu coração já estava preenchido de amor com ele. Quando aconteceu a gestação da Sol, passava pela minha cabeça: "Como vai ser isso? Porque meu coração já está cheio do Luã. Como vai ser quando nascer essa outra filha? Onde vai caber? Como é isso? Precisa dividir depois?". Então, participei daquele momento tenso e mágico ao mesmo tempo, e, quando a Sol veio à luz e escutei seu choro, surgiu o milagre da vida em mim.

SEU MISTÉRIO
É A VIDA
VIVIDA, NÃO
SIMPLESMENTE A
CONTEMPLATIVA.
VOCÊ VIVE COM
PLENITUDE?

UMBANDA PARA INICIANTES

RODRIGO QUEIROZ

Um fenômeno que me fez entender tudo. Nasceu um outro coração no meu peito. Não tive de pensar em dividir sentimento. O coração dedicado a um é íntegro, é dele. Nasceu um outro coração dentro de mim apenas da Sol. Isso é o fenômeno da vida multiplicada. O existir em um processo pleno.

Você cresce, reproduz sua espécie e vive a paternidade e a maternidade de forma plena. Ao ser tocado por essa experiência de renovação da vida, você também renasce. Entendi isso e, quando veio a gestação da Isis, já sabia o que iria acontecer. Foi mágico e incrível. Senti de novo um terceiro coração dentro de mim, apenas da Isis. É por isso que você é capaz de amar de forma visceral e profundamente cada um dos seus filhos. Não há mais amor de um para o outro, e cada um tem de você algo muito específico que se relaciona com a personalidade de cada um. Você é um pai específico para cada um. No meu caso, sou três pais diferentes porque eles são bem diferentes.

Essa reflexão é para ilustrar que Mãe Iemanjá evoca essa noção de sentido da vida. Seu mistério é a vida vivida, não simplesmente a contemplativa. Você vive com plenitude? A vida aqui e agora é um milagre. O maior fenômeno da natureza. A vida se explica na fé, e, para viver uma vida plena, é importante que você tenha sua espiritualidade cuidada. Somos indivíduos que transcendem a experiência humana. Entre as duas extremidades, que são a vida e a espiritualidade, temos o indivíduo que vive suas emoções, sua racionalidade, seu equilíbrio e que busca a ordenação — para que tudo isso, em conjunto, traga experiências constantes de transcendência, evolução e honra à própria vida.

Todos os dias, temos a oportunidade de viver a experiência uterina de novo. Dormimos e apagamos. Simplesmente deixamos de perceber as horas em que estamos apagados. Então, renasce um novo dia. Mesmo que as preocupações de ontem ressurjam hoje, no novo dia temos a oportunidade de resolver as frustrações da melhor forma. Se a cada dia você tem a oportunidade de viver uma nova vida, com valor, empenho e dando o seu melhor, ao final dessa encarnação, terá uma grande experiência que pode colocar você numa transcendência.

Viver a vida como sentido religioso na sétima linha de Umbanda é integrar-se a tudo que é vivo. Honramos Mãe Iemanjá quando zelamos por todas as formas de vida, ao nos conectarmos com a natureza e o todo. Na Umbanda, honramos essa divindade quando entendemos que somos um na natureza. Existimos porque existem os animais, as árvores, as cachoeiras, os mares, o oxigênio, a chuva, o sol, os rios, as florestas, os desertos. Integro-me ali porque me reconheço na natureza física abundante, que é a morada dos Orixás. É a isso que o umbandista se conecta. Ao me desconectar da natureza, distancio-me dessa linha de Umbanda que é em si a vida, regida por Mãe Iemanjá e Pai Omolu.

Caro(a) leitor(a), espero que tenha compreendido meu objetivo com esta reflexão. Que essa análise das sete linhas possa ser pontual e transformadora na sua relação de fé com as divindades, enquanto sete irradiações vivas e divinas de Pai Olorun. Após estes capítulos de entendimentos da religião, vamos continuar a caminhada do umbandista iniciante após a gira acabar.

ADOCYABÁ, MÃE IEMANJÁ,

ATOTÔ, OMOLU!

DEPOIS DA GIRA

CARO(A) leitor(a), vivenciamos a gira e compreendemos as linhas de trabalho e o panteão de Orixás na Umbanda para essa perspectiva cosmoteológica. Mas o atendimento com a Entidade não se limita ao passe e à conversa. Ele vai ressoar nos próximos dias como reflexões ou mesmo em alguma prática que a Entidade lhe sugeriu fazer. Esse é outro momento tenso para o iniciante, por isso, dedico uma parte deste livro a ajudá-lo nesse "pós-gira".

O simples ato de acender uma vela em casa já é motivo de muitas neuras para uma parcela da religião que tem uma influência espírita bem marcada. Se o pedido for um pouco mais além, como um banho de ervas, então um turbilhão de perguntas vem à cabeça, e pode ser que no terreiro não estejam as respostas. Tem uma frase que ouso dizer que perturba o umbandista iniciante que está pela primeira vez na religião ou que começou a frequentar recentemente um templo: "Fio, você é cavalo!".

Primeiro, que essa é uma expressão estranha ao cotidiano e, por isso, é preciso ajuda de alguém do terreiro, como o cambone, para "traduzir" o que isso significa. E pode ser que a própria Entidade explique depois o que ela quis dizer com essa afirmação. O *cavalo* ou *cavalinho*, na Umbanda, é sinônimo de médium. Ao dar essa notícia, o guia está dizendo que vê à frente dele alguém com mediunidade e, muito provavelmente, com mediunidade de terreiro. E agora vêm as perguntas: É missão? Preciso voltar ao terreiro de branco? Já vou entrar para a corrente? Muitas são as questões.

A ideia de que mediunidade é uma missão é equivocada. A relação com a religião não deve ser meramente mediúnica. Escolher exercer a mediunidade na Umbanda deveria ser uma decisão daquele que tem sua religiosidade nessa fé. Daquele que entende a Umbanda como sua verdade e caminho e em algum momento decide por desenvolver-se, sendo guiado pelos mestres espirituais dessa religião. Há quem chegue à religião com alguns problemas, dores físicas e emocionais e até mesmo perturbações. É comum que se atrele o motivo desses distúrbios à mediunidade que não foi desenvolvida. Isso é verdade? É possível que aconteçam desajustes emocionais, espirituais e físicos no momento em que a mediunidade floresce e está "aberta"[17]. Mas a solução para essa fase do jovem médium não é desenvolvê-la imediatamente, mas despertar para o seu caminho religioso. Ao criar essa rotina de vivência e assimilação da verdade espiritual da Umbanda, todos esses problemas vão se reorganizando naturalmente. Com calma e certeza da sua fé, a escolha por desenvolver pode ser tomada. Essa escolha não pode advir de um medo ou ser uma troca, na ideia de que desenvolver seja a solução para os seus problemas. Até porque esses problemas podem ter inúmeros motivos, e poucos deles têm raiz verdadeiramente na mediunidade que está aflorando. O que significa ser médium para você? Qual o propósito da Umbanda na sua vida? Essas são boas perguntas para se fazer depois de ouvir de uma Entidade que você é cavalo.

Bom, vamos seguir com o caminho do iniciante, e hoje ele tem um desafio: acender a vela que a Entida-

---

17. Mediunidade aberta: termo utilizado para dizer que a mediunidade está florescendo e apresenta vulnerabilidade energética.

de lhe deu na gira e que possui algumas marcas que foram feitas pela unha do guia. Sim, estou sendo detalhista, porque um dia estive no lugar daquele que está pela primeira vez num universo tão desconhecido e rico em símbolos, e observar essas minuciosidades da religião me fez entender grandes mistérios.

A "vela cruzada" é a que foi rezada e imantada pela Entidade, os "riscos" feitos pela Entidade desencadeiam, por meio da magia riscada, um objetivo. Esse objetivo está de acordo com o que você conversou ou com o que a Entidade percebeu de necessidade durante o atendimento. Ela vai rezar essa vela para que, na sua casa, seja continuado o vínculo religioso e místico que se iniciou na gira. Por isso, qualquer que seja a especulação de que acender essa vela na sua casa pode ser perigoso ou um motivo para atrair espírito zombeteiro, obsessor ou perturbador, isso é algo que não faz sentido. Fique em paz, acenda sua vela e sempre tenha boas intenções em seu coração, esse é o maior corpo fechado que podemos ter!

E o banho de ervas? Esse ritual tem diversos propósitos na Umbanda. É comum que o banho receitado pela Entidade tenha como objetivo reequilibrar nosso campo vibratório energético. Mas, para saber exatamente sua finalidade, é importante perguntar à Entidade ou estudar as qualidades das ervas[18]. Cada uma delas possui um poder realizador e, quando ritualizadas, como nos banhos, por exemplo, são ativadas e podem mudar nosso padrão vibratório. É normal que após tomar o banho de ervas a pessoa se sinta sonolenta. Esse é o efeito das ervas que estão descarregando e limpando as energias negativas. Essa energia vegetal vibra em toda a nossa aura e promove um relaxamento. Quando dormimos, as ervas conseguem trabalhar ainda melhor, por isso também se indica o banho ritualístico com ervas no período da noite, principalmente os descarregadores. Ao acordar, você se sente energizado, feliz, atualizado energeticamente. O banho de ervas é extremamente poderoso! E banho de ervas na cabeça, pode? Só não recomendo se a Entidade orientar que não. Do contrário, a cabeça faz parte do corpo e precisamos reequilibrar esses chakras, assim como os outros!

---

18. Indico o estudo on-line Rituais com Ervas, de Pai Adriano Camargo, na plataforma Umbanda EAD, como fonte inesgotável de conhecimentos sobre as ervas na Umbanda.

ESCOLHER EXERCER A MEDIUNIDADE NA UMBANDA DEVERIA SER UMA DECISÃO DAQUELE QUE TEM SUA RELIGIOSIDADE NESSA FÉ

UMBANDA PARA INICIANTES

RODRIGO QUEIROZ

MEDIUNIDADE DE TERREIRO

A mediunidade manifestada na Umbanda tem uma característica peculiar. Essa diferença dos outros segmentos é meu objeto de estudos de mais de vinte anos e chamo essa característica de mediunismo de terreiro. Quando inicio o assunto mediunidade, não posso deixar de citar Allan Kardec. Considerado a maior referência sobre assuntos da espiritualidade até hoje, explicou como a mediunidade acontece, sendo a capacidade de comunicação entre o plano espiritual e o plano físico. Suas pesquisas e obras sobre os espíritos são a base de estudo de vários segmentos, sendo o Espiritismo o maior deles. Kardec não cria uma religião como se desdobra o Espiritismo aqui no Brasil, sua forma de decifrar a mediunidade está calcada em um método cientificista. Ele é um cientista do século 19. Para esse autor, não existe distinção entre a mediunidade nas religiões. Naquele momento, não havia Umbanda, e suas considerações partiam do estudo de acontecimentos específicos da sua realidade. O que proponho como reflexão é um estudo específico da mediunidade da Umbanda. Não tento encaixá-la no entendimento quase bicentenário de episódios experimentados por Kardec que nem ao menos se assemelham ao da nossa religião. Permita-se a esse conteúdo e descubra o mediunismo de terreiro!

A mediunidade, independentemente da sua forma de se manifestar, não é sinônimo de superpoderes e, portanto, também não quer indicar alguma disfunção ou doença. Não é karma nem punição, também não é obrigação. Não o faz especial nem diferente. Mediunidade é um sentido sensorial, assim como a visão ou a audição, por exemplo. É ela que o conecta ao mundo não palpável e lhe permite ser o porta-voz dessas realidades. É uma característica que não define o indivíduo, apenas explica que ele é médium. Importante lembrar que a mediunidade não é boa ou ruim, e quem decide como exercê-la é a própria pessoa. Por isso, existem bons médiuns e médiuns mal-intencionados, que fazem mau uso dessa capacidade.

Mestre Rubens Saraceni traz um conceito para a Umbanda que considero importante: "Todo médium é um templo vivo de Deus". Isso traz a noção de responsabilidade com seu corpo, mente e espírito. Essa é uma visão importante, mas romântica. Na prática, a mediunidade é um afloramento de uma capacidade que não tem idade para acontecer e nem mesmo uma razão. Em menor ou maior grau, todos possuem sensibilidade mediúnica, o que diferencia o médium de Umbanda é sua inclinação para a prática de *incorporação*. Existem centenas de tipos de mediunidade. No *Livro dos Médiuns*, Allan Kardec faz um compilado dessas características.

A incorporação é uma dessas faculdades mediúnicas, e ela é múltipla. O que isso quer dizer? Engloba diversos tipos de mediunidade simultaneamente. A Entidade fala por meio do médium, então já temos a *psicofonia*. O espírito envolve os movimentos do corpo daquela pessoa. É a mesma "mecânica" da psicografia, só que com o corpo todo. A *clarividência* e também a *premonição* podem acontecer ao estar incorporado. É muito comum a Entidade olhar para o consulente e ler todas as probabilidades futuras da vida dessa pessoa.

A incorporação como a capacidade mediúnica da multiplicidade desdobra-se em vários tipos de mediunidade e ainda proporciona o transe. Sem nenhum entorpecente ou enteógeno, o indivíduo entra no fluxo do transe mediúnico. Ao desenvolver a mediunidade, as incorporações vão ficando cada vez mais controladas e, então, basta se concentrar nas Entidades que o amparam que o transe acontece — sem muitos artifícios estimuladores.

A incorporação de terreiro é muito rica, extremamente benéfica e não acontece em outros ambientes, mas, se acontecer, é ancestralidade manifestando-se ali.

Outro exemplo da performance do mediunismo de terreiro é quando o médium precisa lidar com o processo de desmagiamento. Quando uma pessoa magiada chega ao terreiro, o trabalho de corte de demanda começa a ser feito. Isso quer dizer — de forma técnica — que a Entidade vai riscar o ponto, estourar pólvora, usar um elemento, acender a vela, fazer uma evocação, iniciar um transporte energético e, com isso, vai tirando a ação negativa que foi enviada à pessoa. Se aquele médium não tem nenhuma blindagem, não vai suportar essa frequência vibratória. Por isso, a Umbanda tem como papel confortar quem chega ali, dar um passe de reequilíbrio; mas, se em algum momento houver uma situação de confronto, a espiritualidade vai agir e encerrar aquilo, ali mesmo. Essa é uma capa-

MEDIUNIDADE É UM SENTIDO SENSORIAL, ASSIM COMO A VISÃO OU A AUDIÇÃO, POR EXEMPLO. É ELA QUE O CONECTA AO MUNDO NÃO PALPÁVEL E LHE PERMITE SER O PORTA-VOZ DESSAS REALIDADES

UMBANDA PARA INICIANTES

RODRIGO QUEIROZ

cidade peculiar do mediunismo umbandista. A predisposição para um trabalho específico, em que as vibrações oscilam entre as mais densas e o médium precisa se sustentar durante o processo de desmagiamento, é única do médium de Umbanda. Quem vai dar condições para que ele faça esse trabalho são as Entidades de Umbanda. Elas são mestres nesse tipo de situação.

Portanto, existem tais especificidades mediúnicas desse trabalhador, inclusive no seu próprio corpo espiritual. Umas não são melhores nem piores que outras, são o que são. Ao entender isso, percebemos diversas situações em que a pessoa se descobre "médium de terreiro". Este livro faz parte da *Coleção Umbandalogia*, e, para se debruçar sobre o mediunismo de terreiro, eu indico que você leia também meu livro:

Mediunidade na Umbanda: descubra os fundamentos da prática e desenvolvimento do médium de terreiro

APONTE A CÂMERA DO SEU CELULAR
PARA ESTE QR CODE E SAIBA
COMO ADQUIRIR ESSE LIVRO

https://www.citadel.com.br/livro/mediunidade-na-umbanda/

MAGIA DE UMBANDA

Muitas religiões trazem em sua premissa a dimensão mística de se relacionar com o sobrenatural. É "departamento" da religião que trata de questões que vão além das religiosas. Rezas, devoção, admiração e rituais religiosos não fazem parte disso. A mística são as práticas de manipulação energéticas desenvolvidas pelas Entidades e pelo indivíduo encarnado.

A Umbanda tem um olhar global para a magia e também tem a sua própria mística. A Magia de Pemba ou o que popularmente se chama de Ponto Riscado é uma das místicas umbandistas. Ao participar de uma gira, vamos provavelmente ver desenhos e símbolos riscados no chão. Perceba na mão da Entidade um giz arredondado. Essa é a **Pemba**. Esse elemento é rezado e imantado para que o médium magista ou a Entidade possa utilizá-lo nas práticas mágicas. Os símbolos que são desenhados no terreiro são chamados de pontos riscados, essa é a escrita mágica da Umbanda. Por meio desses traços, são ativados, invocados, fixados e determinados inúmeros propósitos. São adicionados também vários elementos, como pedras, tabaco, incenso, bebidas, líquidos diversos, águas etc. Depende da magia a que você está se dedicando.

APONTE A CÂMERA DO CELULAR PARA ESTE QR CODE E VEJA UM PONTO RISCADO

https://umbandaead.com.br/livro/umbanda-para-iniciante/ponto-riscado/

A definição de magia pelas escolas clássicas da Antiguidade é a capacidade de alterar o estado das coisas. A magia é algo que vem depois da alquimia. Enquanto a alquimia propunha uma mudança física de elementos e não conseguiu executar seus intentos, a magia propôs a transformação da realidade energética e espiritual. Para exercer a magia pura, é preciso preparo, estudo e iniciação. A Umbanda é uma religião mágico-religiosa. Essa mística está integrada às práticas do ritual umbandista. As pessoas têm uma ideia equivocada da magia. Acredita-se que seja um pacto com espíritos ruins ou algo muito rebuscado. Mas, na Umbanda, o simples ato de acender uma vela é magia. É um fundamento básico de Umbanda e utiliza o poder do fogo para encaminhar uma intenção implícita na reza que foi feita.

A chama da vela cria um cordão ígneo que se alonga, subindo até se conectar com a tela planetária de energia do Orixá ou Entidade pela qual você está rezando. Essa conexão sai do seu âmbito mental e emocional, chega até essa tela e retorna a você como um bálsamo. Enquanto essa chama estiver acesa, essa energia de poder estará reverberando na pessoa que a acendeu.

Por isso, não acenda uma vela por acender. Sempre que for realizar essa prática, faça com calma, esteja concentrado na sua reza. O que foi intencionado ali é o que vai retornar para você. O estudo da religião é importantíssimo para entender fundamentos como esses e saber o que estamos fazendo. Tudo tem um retorno, por isso, estude sempre e se dedique a entender sua fé! São gestos tão simples que até passam despercebidos, mas eles têm um poder mágico inigualável. Você deve ter percebido o estalar de dedos de um Caboclo ou Preto-velho. Sabe o que isso significa? Assim como bater palmas e pés, são gestos de desencadeamentos mágicos. O estalar de dedos tem a função básica de ativar, absorver e dissipar energias negativas. Quando estão trabalhando no passe, é comum que os médiuns façam alguns gestos de colocar a mão na direção de pontos do corpo, puxando e estalando os dedos rapidamente, repetidas vezes. Graças à ação absorvente que está ativa na palma das mãos, ao fazer o movimento de puxar, o guia retira toda a sujeira energética ligada às pessoas. Percebe? Tudo o que é feito no terreiro tem uma razão.

Exu não usa a pinga porque é um espírito apegado ou viciado. Caboclo não pede cerveja porque gosta de beber. O elemento etílico combinado com o ingrediente daquela bebida (cereais, malte, uva, cana, maçã etc.) potencializa o poder desses elementos e desencadeia uma ação na magia. O que é importante ressaltar é que existe explicação para tudo, no entanto, precisamos de substância nesses fundamentos. É muito fácil ouvirmos informações fantasiosas, e isso não é legítimo da religião. Vamos continuar a entender alguns elementos na magia no próximo tópico, em que explico uma grande dúvida do umbandista iniciante: "Por que umbandista faz oferenda?".

OFERENDA NA UMBANDA

Essa é uma das místicas da Umbanda que em algum momento todo umbandista vai fazer. Em linhas gerais, a oferenda é o ato no qual nos submetemos a depositar diversos elementos naturais enquanto elevamos nossos pensamentos às Entidades e aos Orixás, mesmo que, na maioria das vezes, não saibamos para que servem tais elementos. Fisicamente, é assim que se entende. Do lado espiritual, os nossos guias vêm receber a oferta. Extraem o prana[19] dos elementos e os revertem para nós de acordo com a nossa necessidade. Não pense que os espíritos se alimentam dessas ofertas, até porque estão em planos mais elevados, de onde extraem outros níveis de energia de acordo com as suas condições.

---

19. Prana: energia vital dos elementos naturais.

Entende-se, então, que praticamente fazemos oferendas para nós mesmos. Parece engraçado, né? Mas é funcional, e essa prática já ocorre há milhões de anos. De tempos em tempos, são solicitadas oferendas a médiuns ativos, para direcionar as energias a um irmão necessitado que ele possa estar ajudando. A oferenda também tem um sentido emocional muito importante: ela não acontece somente no ato de entrega dos elementos, mas tem início quando você vai ao mercado ou à feira comprar os elementos de que precisa. Nesse momento, a sua conexão mental e emocional com a Entidade ou o Orixá já se estabelece. Sempre oriento meus filhos de santo para, quando forem comprar materiais para a oferenda, deixá-los em sacolas separadas das demais compras. A escolha dos elementos deve ser pensada e nada disso pode ser feito na pressa. A oferenda é um ato profundo de conexão. Perceba a intuição dessa força em você. Crie essa atmosfera do que é sagrado na sua vida. Lave os elementos, separe-os e então vá até o ponto de força que escolheu para finalmente ritualizar a oferenda.

O ponto de força é um local da natureza onde o axé e a energia do Orixá pulsam com mais força. É

O PONTO DE FORÇA É UM LOCAL DA NATUREZA ONDE O AXÉ E A ENERGIA DO ORIXÁ PULSAM COM MAIS FORÇA

UMBANDA PARA INICIANTES

RODRIGO QUEIROZ

nele que percebemos o magnetismo puro dessa força. Se for para Oxóssi, procure uma mata tranquila, segura e peça licença aos guardiões e elementais que habitam esse santuário. A todo momento, mantenha uma postura de reverência, respeito e concentração. Nas matas e florestas, existe a maior concentração energética de Oxóssi. Só no Brasil? Não. Em qualquer lugar do planeta. Assim como as cachoeiras são de Oxum, e as pedreiras de Xangô. Xangô é o Orixá do fogo, mas, como não se recomenda ir até um vulcão para sentir esse axé, a sugestão são as pedreiras, as pedras são o resultado final da lava.

Dica: no documento que está no QR Code, ao final do livro, você encontra todos os pontos de força dos Orixás.

Oferenda é uma ação mágica, no entanto, ela é mágico-religiosa. Não se faz oferenda por magia pura, apenas para movimentar energia. Ela sempre é um ato de conexão religiosa interna. Como citei, existe a magia que é a manipulação de elementos e o desencadeamento destes para a alteração da realidade, e essa é a magia "pura". A oferenda se enquadra na magia religiosa ou procedimento mágico-religioso, que está conectado ao processo devocional do umbandista. O ato prático da oferenda é a magia, mas concluímos rezando, cantando, reverenciando, pedindo à força divina e espiritual. Por isso, é uma ação mágico-religiosa. Essa é uma prática comum nos terreiros e faz parte da mística da Umbanda.

APONTE A CÂMERA DO CELULAR PARA ESTE QR CODE E VEJA UMA OFERENDA TÍPICA DE UMBANDA

https://umbandaead.com.br/livro/umbanda-para-iniciante/oferenda-tipica-de-umbanda/

EPÍLOGO

Ao virar a última página deste guia, você não chega a um fim, mas a uma nova encruzilhada. A cada ritual, a cada cântico e a cada mistério desvendado, a Umbanda se revela não apenas como uma religião, mas como um modo de vida, uma conexão profunda com as raízes espirituais do Brasil.

Nossos passos neste terreiro, ainda que virtuais, nos aproximaram das entidades e orixás que regem essa fé. Sentimos a energia do chão sagrado sob nossos pés, o aroma do amaci e a força do atabaque. Mas, assim como a Umbanda nos ensina, a jornada espiritual é infinita e repleta de descobertas.

A história da Umbanda é um mosaico de culturas, tradições e histórias. Ela carrega em si o legado dos povos indígenas, a resistência dos africanos e a busca incessante do povo brasileiro por espiritualidade e propósito. E, assim como o Brasil, a Umbanda é um universo de diversidade e sincretismo.

Mas e agora? Para onde nos dirigimos após este passeio pelo terreiro?

A coleção Umbandalogia é sua bússola nessa jornada. Este livro foi apenas o primeiro passo, uma introdução a um mundo vasto e fascinante. Cada volume subsequente aprofunda-se em aspectos específicos da Umbanda, sejam eles rituais, entidades, ervas sagradas ou os segredos da mediunidade.

Imagine descobrir a história por trás de cada orixá, entender a força e significado dos pontos cantados, ou mergulhar na complexa teia da magia africana e sua influência na Umbanda. Essas são apenas algumas das maravilhas que aguardam sua exploração nos próximos títulos.

Além do conhecimento, a Umbandalogia oferece uma oportunidade de autodescoberta. À medida que você se aprofunda nos ensinamentos da Umbanda, também embarca em uma jornada interna de reflexão, crescimento e conexão com o divino.

Não se surpreenda se, ao longo dessa jornada, você começar a perceber sinais e sincronicidades em sua vida diária. A Umbanda tem uma maneira especial de se manifestar, de mostrar sua presença e de guiar seus adeptos.

Em conclusão, quero expressar minha gratidão por você ter me permitido ser seu guia neste primeiro passo. A Umbanda é uma dádiva, uma luz que ilumina e aquece. E é um privilégio poder compartilhar essa luz com você.

Que Oxalá abençoe sua jornada, que Iemanjá guie seus passos e que Exu abra os caminhos para as infinitas descobertas que ainda estão por vir.

Saravá e até nosso próximo encontro no sagrado universo da Umbanda!

Pai Rodrigo Queiroz

Acesse nosso Clube de Estudos
– UMBANDALOGIA
https://umbandalogia.com.br

ANEXOS

ESCANEIE o QR Code abaixo e acesse a planilha com informações sobre os Orixás citados neste livro.

https://docs.google.com/spreadsheets/d/17yPD8-fsJmvBmz9X-W8GHBUXuNPCQHFgfa6pQhdxd-oQ/edit#gid=0

REFERÊNCIAS BIBLIOGRÁFICAS

QUEIROZ, Rodrigo. *Mediunidade na Umbanda*. Porto Alegre: Citadel, 2022.

SARACENI, Rubens. *Doutrina e teologia de Umbanda sagrada: a religião dos mistérios*. São Paulo: Madras, 2007. v. 1.

SARACENI, Rubens. *As sete linhas de Umbanda: a religião dos mistérios*. São Paulo: Madras, 2020.